Martin Isabel Andreas

Manfred Hausmann

Martin Isabel Andreas

Geschichten um eine Familie

Illustrationen von Eva Kausche-Kongsbak

Lizenzausgabe mit Genehmigung der
C. Bertelsmann Verlag GmbH, München
für die Bertelsmann Club GmbH, Gütersloh
die Europäische Bildungsgemeinschaft Verlags-GmbH, Stuttgart
die Buchgemeinschaft Donauland Kremayr & Scheriau, Wien
und die Buch- und Schallplattenfreunde GmbH, Zug/Schweiz
Diese Lizenz gilt auch für die Deutsche Buch-Gemeinschaft
C. A. Koch's Verlag Nachf., Berlin – Darmstadt – Wien

Umschlag- und Einbandgestaltung M. und E. Kausche
Gesamtherstellung Mohndruck Graphische Betriebe GmbH, Gütersloh
Printed in Germany · Buch-Nr. 02336 6

MARTIN

Geschichten aus einer glücklichen Welt

Er hat ein zartes Gemüt

Die Mutter und Viola singen die Melodie im Sopran, Christoph mit seinem verdeckten Knabenalt versucht die zweite Stimme durchzuführen, und Görge fällt dann und wann mit leisem Pfeifen ein. Es klingt nicht eben vollkommen, geht aber doch an. So singen und pfeifen sie »Wie schön blüht uns der Maien« über den morgendlichen Garten hin. Der Vater, der auf der Terrassentreppe sitzt, hat Martin auf den Knien und hört zu. Und allen ist so recht gelöst und glücklich ums Herz. Um so verwunderlicher, daß Martin mit einem Male die Unterlippe vorschiebt und zu schluchzen beginnt.
»Was ist denn los, Martin?«
»Komm einmal her«, sagt die Mutter und zieht ihn an ihr Herz. »Hat das Lied dich so traurig gemacht? Du? Martin?«
Christoph sagt: »Ho!«
Aber die Mutter verweist es ihm. Er brauche gar nicht »Ho« zu sagen, sie wisse schon, wie es in Martin aussehe, er habe so ein zartes Gemüt, so ein kleines zartes Kindergemüt, und wenn sie sängen, dann werde er eben traurig von der Musik. »Nicht, Martin?«
Martin schluckt und antwortet unter Tränen: »Ich hab' so'n Honger.«
Da muß die Mutter sich's schon gefallen lassen, daß sie von allen auf das fröhlichste ausgelacht wird.
»Lacht ihr nur«, sagt sie, »ihr versteht es eben nicht besser. Er ist d o c h traurig von dem Lied. Die Traurigkeit ist die Hauptsache. Natürlich weiß er nicht, woher sie kommt. Dazu ist er ja noch viel zu unerfahren. Und nun sucht er nach einer Erklärung. Und da fällt ihm nichts anderes ein

als sein Hunger. Und da sagt er eben, er habe ›Honger‹. Ich kenne doch meinen Jungen. Hunger hat er übrigens auch.« Diese Mutter!

Er erzählt eine Geschichte

Wenn Martin während des Mittagessens anfängt, auf dem Stuhl hin und her zu rutschen und gedankenvoll mit dem Kopf zu wackeln, wissen alle, daß er gern eine Geschichte vorbringen möchte.
»Nun, Martin, was hast du denn auf dem Herzen?« fragt die Mutter dann wohl.
»Till is aber auch einer!«
Geschichten, die so beginnen, sind sehr beliebt, obwohl sie keinen Höhepunkt, ja nicht einmal einen rechten Schluß aufzuweisen pflegen. Aber sie enthalten immer seltsame und

lebensnahe Begebnisse, denn Till, der rothaarige, sommersprossige Nachbarssohn, lockt den zaghafteren Martin von einem Kinderabenteuer ins andere.

»Till is aber auch einer! Da sin wir einfach zu Frau Mann Holte gegangen.«

»Martin«, belehrt die siebenjährige Viola ihn, »die Frau heißt Frau am Holte.«

»Laß ihn doch, Viola!« sagt die Mutter. »Zu Frau am Holte. Und da?«

»Da sin wir einfach zu Frau Mann Holte gegangen, un da stand da ein Besen anner Tür, un da hat Till ihm einfach umgeschmissen.«

»Und da?«

»Un da is Frau Mann Holte einfach gaanich gekommen.«

Er hängt ein Bild auf

Martin sieht zu, wie der Vater in seinem Zimmer ein Bild aufhängt. Nach einer Weile fragt er: »Warum tust du das einlich?«

»Findest du nicht auch, daß es schöner wirkt, wenn da ein Bild hängt? Sonst ist die Wand doch so leer. Und nun hängt da ein Bild, das ich gern leiden mag. Und das sehe ich mir nun jeden Tag an. Und dann habe ich jeden Tag eine Freude.«

»Hm.«

»Und nun geh mal schön in die Küche und iß dein Frühstück auf. Mutti hat es dir da hingestellt, vorhin, ehe sie ins Dorf gefahren ist.«

»Was is'n auf das Frühstück auf?«

»Ich glaube Leberwurst.«
»Mag ich geeern!«
»Ja, nun geh mal los.«
Beim Mittagessen erzählt Martin allen, er habe in seinem Zimmer auch »schöne Bilder anner Wand aufgehängt«.
»Was für Bilder denn?«

»Aus mein Bilderbuch.«
»Ach du liebe Zeit«, sagt der Vater, »er wird doch keine Nägel in die Wand geschlagen haben?«
»Nehe!«
»Wie hast du die Bilder denn an die Wand gehängt? Wie hast du sie da denn festgemacht?«
»Mit bißchen Leberwurst.«

Er befaßt sich mit einer Spinne

»Leise! Bitte, leise!« sagt die Mutter, wie der Vater die Haustür aufschließt. »Daß die Kinder nicht aufwachen!«
Es geht schon auf drei Uhr morgens. Sie kommen von einem kleinen Künstlerfest und freuen sich aufs Bett.
»Wenn du ganz schrecklich nett sein willst, ziehst du die Schuhe gleich in der Diele aus.«
Der Vater setzt sich friedfertig auf die unterste Treppenstufe und beginnt sein Schnürband aufzuknoten.
Da wird oben vorsichtig eine Tür geöffnet. Schritte tappen über den Gang. Viola erscheint in ihrem langen Nachthemd auf der Treppe. Das offene Haar hängt über ihre Schulter und über ihre Brust, die Augen blinzeln ins Licht, sie sieht aus wie ein Engel, der sich auf die Erde verirrt hat.
»Na, Viola, schläfst du denn noch nicht?«
»Ich habe euch gehört und da bin ich . . . Es ist nämlich etwas passiert.«
»Was denn? Mit Martin etwas?«
»Ja . . . nein. Ihr braucht keinen Schrecken zu kriegen. Also das Glas in der Badezimmertür ist kaputt.«
»Und Martin?«

»Martin ist mit seinem Ellbogen hineingefallen. Aber er hat sich nichts getan. Wirklich nicht. Nur eben die Scheibe ist leider kaputt. Also es ging so zu . . .«
»Komm, mein Mädchen«, sagt die Mutter, »hier erkältest du dich nur. Wir gehen in dein Zimmer, und du legst dich ins Bett, und dann kannst du uns alles in Ruhe erzählen.«
Wie Viola die Decke über sich gezogen hat, berichtet sie flüsternd, nach dem Abendessen habe sie mit Martin noch ein bißchen »Königssohn« gespielt. »Das spielen wir manchmal, wenn Martin schon nackicht ist. Dann setzt er sich eine Papierkrone auf, zieht meine Hausschuhe an und hängt sich das Badetuch um, das über der Brust zusammengeknotet wird. Ich muß dann hinter ihm hergehen und die Schleppe von seinem Königsmantel tragen. So wandern wir im Hause herum und singen. Und das haben wir vorhin auch gemacht. Mit einem Male saß hier in meinem Zimmer, gerade über dem Bett, als wir da vorbeikamen, eine ganz furchtbare Spinne, so eine große, mit schwarzen Haaren. Oh, sie hat uns so böse angesehen. Da sind wir schnell nach unten gegangen und haben Christoph und Görge geholt. Und Christoph hat die Spinne in einem Schuhkarton gefangen. Und dann sollte ich sie auf den Balkon bringen und ausschütten. Und das wollte ich auch. Aber als ich an Görge vorbeiging, hat er an den Kasten gestoßen, mit Absicht, daß der Deckel herunterfiel. Und da kam die Spinne ganz schnell heraus und wollte mich beißen. Und da habe ich geschrien und den Kasten auf den Fußboden geschmissen und bin weggerannt. Alle haben geschrien und sind weggerannt. Christoph und Görge auch, und Martin natürlich am allermeisten. Und da ist er über seine Königssohnschleppe gestolpert und mit den Ellbogen in die Bade-

zimmertür gefallen. Aber es hat nicht einmal geblutet. Und die Spinne sah soo furchtbar aus! O Mutti, du kannst dir nicht vorstellen, wie furchtbar sie aussah! Sie war so groß wie eine Zwetsche.«

»Du bist selbst eine kleine Zwetsche«, sagt der Vater lächelnd. »Ich will dir morgen einmal zeigen, was für interessante Tiere die Spinnen sind. Morgen ist ja Sonntag. Hast du schon einmal ...«

Aber die Mutter unterbricht ihn: »Schluß, Schluß, Schluß! Viola muß schleunigst schlafen. Also gute Nacht, Viola! Und die Scheibe wird ja auch noch zu ersetzen sein.« –

Am nächsten Morgen versammelt der Vater nach dem Frühstück die Kinder um sich und versucht ihnen zu erklären, daß manches Ding und manches Tier, das auf den ersten

Blick häßlich aussehe, beim genaueren Betrachten die seltsamsten und erstaunlichsten Schönheiten aufweisen könne. »Die Spinnen«, sagt er, »gehören auch dazu. Gewiß, wenn einem so eine große Spinne über die Hand oder gar übers Gesicht kriecht, dann schaudert man unwillkürlich zusammen. Aber . . .«

»Gräßlich ist das!« ruft Viola und schüttelt sich.

Und Martin bekräftigt es: »Gaaanz furchtbar gräßlich!«

»Ja, nun gebt aber einmal acht! Ich habe neulich einen Film gesehen, in dem gezeigt wurde, in vergrößerten Aufnahmen, wie die Spinnen zum Beispiel ihre Nester bauen, wie sie ihre Netze weben, wie sie den Faden aus ihren Drüsen spinnen, wie sie ihn von einem Ast zum andern ziehen, wie sie . . . Habt ihr euch eigentlich schon einmal überlegt, auf welche Weise die Spinnen es zustande bringen, den Faden, an dem das Netz hängt, über eine Entfernung von vier und fünf Metern zu spannen? Im Walde sieht man so etwas ja oft. Unten auf dem Boden wächst Gebüsch. Sie können also nicht mit dem Faden über den Waldboden bis zum nächsten Baum gewandert sein. Und fliegen können sie ja auch nicht. Wie haben sie es nun gemacht? Wie haben sie den Faden von einem Baum zum andern gezogen, fünf Meter durch die freie Luft?«

»Das ist ja merkwürdig«, sagt Görge.

»Ach, da gibt es noch viel Merkwürdigeres.«

»Zähl mal weiter!« ruft Martin und klettert auf den Schoß des Vaters. »Wie machen sie den Faden durch die Luft?«

Christoph meint, er habe einmal eine ganz kleine Spinne gesehen, die sei auf so einem zarten Faden an seinem Fenster vorbeigeflogen. »Weißt doch, auf so einem Altweibersommerfaden.«

Es wird ein langes Gespräch über die Spinnen. Sie kommen vom Hundertsten ins Tausendste. Der Vater holt Zeitschriften und Bücher herbei und liest ihnen das eine und andere vor, er kann sogar Gedichte über Spinnen aufsagen. Und allmählich verwandelt sich die Abneigung der Kinder in ein Interesse, das Interesse vertieft sich zur Teilnahme, ja zum Wohlwollen. Schließlich gehen sie wahrhaftig auf die Suche nach einer Spinne, um an ihr die Seltsamkeiten, die sie soeben erfahren haben, nachzuprüfen. Sie können es überhaupt nicht mehr verstehen, daß sie sich gestern abend beim Anblick einer Spinne so angestellt haben.
Da steckt die Mutter den Kopf zur Tür herein: »Kinder, wie sieht das oben auf dem Gang aus! Görge, trag die Schuhe in den Schrank! Christoph kann die Glassplitter zusammenfegen und den Läufer absaugen. Violas Pantoffeln liegen da auch noch herum. Und wem gehört der Schuhkarton?«
»Der is meiner«, sagt Martin.
»Dann bring ihn in dein Zimmer.«
Mit Gesinge und Geschubse rumpeln die Kinder nach oben. Gleich darauf ertönt ein schrecklicher, schrill ansteigender, langer Schrei, in den sich andere Schreie mischen. Viola

rast die Treppe hinunter, stürzt schreiend ins Wohnzimmer und schlägt die Tür hinter sich zu. Martin reißt sie wieder auf, dreht sich blitzschnell hinein, drückt sie zu und wischt, schreiend und mit den Füßen strampelnd, wie ein Besessener über seine Brust und seinen Bauch. Man hört, daß Christoph und Görge oben die Tür zu ihrem Schlafzimmer ebenfalls zuschlagen und sich einschließen.
»Kinder noch mal!« ruft die Mutter. »Was ist denn los? Nun seid doch erst einmal ruhig!«
Der Vater hebt Martin auf und hält seine Hände fest: »Warum hast du denn so geschrien?«
»Ugutteguttt«, sagt Martin, »als ich den Kasten aufheben wollte, da saß die gräßliche Spinne von gestern abend mit einem Male noch unten dran und is auf meiner Hand gelaufen.«

Er verspeist einen Schokoladenhasen

Als letztes von den kleinen österlichen Geschenken besitzt Martin noch einen Hasen aus Schokolade, um dessen Hals eine winzige Glocke an einem blauen Bändchen hängt. Ursprünglich hatte er vor, sich den Hasen bis zu seinem Geburtstag im Juli aufzuheben. Aber dann konnte er's doch nicht lassen, ein bißchen am Schwanz herumzuknabbern. Und dann gab es kein Halten mehr.
Wie er dabei ist, die Vorderfüße zu verspeisen, hält er plötzlich inne und besinnt sich eine Weile. Dann entfernt er das Bändchen mit der Glocke und beißt dem Hasen mit einem entschlossenen Happs den Kopf ab.
»Daß du das tun magst«, sagt Viola, »dem armen Hasen den Kopf abzubeißen!«

»Ne, Viola, denn tut es ihn doch nicht mehr so weh, ohne Kopf, wenn ich denn die Beine un den Bauch un alles fresse!«

Er wirft einen Ball übers Haus

Irgend jemand hat Martin einen alten Tennisball geschenkt. Eine Stunde lang erfindet er immer neue Spiele, darunter das überaus wunderbare, den Ball oben am Hals in seinen Spielanzug zu tun und dann so lange herumzuhüpfen, bis er unten wieder herauskommt und davontrudelt. Aber nun fällt ihm nichts mehr ein. So wendet er sich dann an den Vater, der in schriftstellerischen Gedanken auf dem Rasen hin und her wandert.
»Was kann man denn mal noch mit dem Ball machen?«
»Hm.«
»Duhu?«
»Ja?«
»Was man denn mal noch mit dem Ball machen kann?«
»Mit was für einem Ball?«
»Mit diesem. Was kann man denn da mal noch mit machen?«
»Du kannst ja mal versuchen, eine Libelle damit zu treffen.«
»Eine legebendige?«
»Ja. Versuch's doch mal!«
»Die arme Libelle! – Was kann ich denn da mal noch mit machen?«
»Paß auf, wir wollen den Ball mal übers Haus werfen. Ich werfe ihn übers Haus, oben am Schornstein vorbei, und du stehst auf der anderen Seite und fängst ihn auf.«
»Au ja, das wollen wir mal spielen!«
»Wenn ich ›jetzt‹ rufe, dann kommt der Ball.«

»Au ja!«

Martin läuft schon auf seinen Platz. Und wahrhaftig, gleich nachdem der Vater auf der anderen Seite des Hauses »jetzt« gerufen hat, steigt der Ball empor, fliegt über den Schornstein, wendet sich, kommt herab und saust neben Martin auf den Rasen, ohne daß er ihn mit seinen ausgestreckten Händen erreichen könnte, und rollt, nach zweimaligem Aufspringen, unter den Jasminstrauch. Ein herrliches Spiel! Der Vater muß es sogleich wiederholen. Und dann noch einmal und noch einmal. Immer wieder wartet Martin erregt und gespannt auf das Erscheinen des Balles. Zuletzt will er ihn selbst einmal übers Haus werfen.

»Wenn du das nur kannst!«

»Fürleich kann ich es.« Seine Augen sind voller Glauben und Ahnungslosigkeit.

Gut, der Vater stellt sich auf den Rasen und horcht und

lächelt und blickt, wie Martin mit krähender Stimme sein »Jetzt« ruft, unwillkürlich zum Dach hinauf, obwohl er doch weiß, daß der Ball dort drüben kaum bis zur Höhe der Regenrinne gelangen wird. Aber da schießt er ja hinter dem First hervor! Nein, es ist nur eine Schwalbe, die erste übrigens dieses Jahres. Sie segelt dahin und gleitet in die Bläue des Himmels. Der Vater hat sich ordentlich ein bißchen erschrocken vor der unvermuteten Erscheinung. Es ist ihm, als habe sie sich geradeswegs aus Martins sehnsüchtiger Seele aufgeschwungen, ein Wunderzeichen und Sinnbild des kindlichen Glaubens an das Unmögliche.
Da kommt Martin mit seinen nackten Füßen ums Haus getappt und macht ein verlegenes Gesicht.
»Na, Martin?«
»Jaaa, er is leider in der Regenrenne gegangen.«

Er will eine Lilienblüte hervorlocken

»Gute Nacht, lieber Martin«, sagt der Vater und streicht dem Jungen, der ihn mit großen und aufmerksamen Augen aus seinem Bett heraus ansieht, übers Haar. »Schlaf gut und träum schön!«
»Du aaauch!« singt Martin. Dann schluckt er und fängt noch einmal an: »Ach, wenn doch die Taglilie auf mein Beet, wenn da doch eine Blüte an käme.«
»Ja, Martin, da mußt du dich nun in Geduld fassen. Weißt du, ein Gärtner kann nur pflanzen und gießen. Und dann muß er ruhig warten, was daraus wird.«
»Un Unkraut ausreißen kann er auch. Un Mist anner Wurzel tun.«

»Das auch. Aber daß die Blumen nun wachsen und blühen, das muß er ihnen selber überlassen. Vielleicht bringt deine Taglilie in diesem Jahr schon eine Blüte hervor, vielleicht auch nicht. Da mußt du eben Geduld haben und warten. Und nun gute Naaacht!«

»Gute Naaacht! Un Christoph und Görge sollen mich auch noch gute Nacht sagen.«

»Ich schicke sie gleich her.« –

Wie der Vater am nächsten Morgen durch den Garten geht, sieht er Martin ganz versunken neben seinem Beet knien. Er schleicht vorsichtig hinter den Johannisbeerbüschen näher. Da hört er, daß Martin etwas vor sich hin spricht: »Nein, sagte der Magarienkäfer zu das Eichhörnchen, daaas kann ich nich. Du bist aber domm, sagte das Eichhörnchen,

denn kannst du wohl auch nich aufn Regenbogen gehen? Ne, daaas kann ich auch nich . . .«

»Martin«, ruft der Vater leise, »wem erzählst du das denn eigentlich?«

»Jaa, Christoph un Görge haben mich gestern abend gesagt, denn kämte die Blüte von der Taglilie raus, wenn ich sie eine Geschichte erzählte. Fürleich is da ja eine in, ich meine in die Blätter da, un denn will sie die Geschichte hören, un denn kommt sie raus, un denn blüht sie ja.«

»So?«

»Glaubst du, daß da eine in is?«

»Laß mich mal sehen! Du, mir ist beinahe, als käme eine, hier, eine Knospe.«

»Laß mich auch mal sehen!«

Jedenfalls nimmt der Vater sich vor, die Taglilie heute abend, wenn Martin im Bett liegt, mit lauem Regenwasser, in dem etwas verrotteter Kuhmist aufgelöst ist, liebevoll zu begießen. Heute abend und alle übrigen Abende. Und dann müßte es doch sonderbar zugehen, wenn die Lilie sich durch diese Güsse und durch Martins Geschichten nicht bewegen ließe, ein übriges zu tun.

Er sieht wie ein Ferkel aus

»Ach, du mein himmlischer Vater!« ruft die Mutter, wie Martin, nur mit einem kurzen Höschen bekleidet, die Terrassentreppe herauftappt. In seinen Haaren kleben ganze Fladen von Schlamm, durch sein Gesicht laufen, über die Nase, über die Backen, übers Kinn, schwarze Schmutzstreifen, die Hände sind unbeschreiblich verdreckt, auf den

Armen, auf der Brust und an den Beinen sitzt eine dicke Kruste, von den Füßen ganz zu schweigen.
»Aber Martin, Junge, was hast du denn nur gemacht?«
Martin hebt seine Augen auf, in denen der ganze Zauber eines reinen Gewissens leuchtet, und sagt lächelnd: »Ich habe mir gebadet.«

Er will etwas begreifen

»Du mußt mal gaaanz schnell kommen«, sagt Martin aufgeregt zum Vater, der gerade dabei ist, die Himbeerruten festzubinden. »Wie ich da an mein Beet gearbeitet habe, da rauschte es so inner Luft, und mit einem Male saß ein Rabe neben mir aufer Erde und guckte mir an, ein richtiger, legebendiger Rabe, ganz dicht bei mir. Ich konnte ihm sogar Petersilie zu essen geben. Leider hat er mir ein bißchen in'n Finger gebissen. Willst du ihn mal ansehen?«

Natürlich will der Vater sich diesen »Raben« ansehen. Sie laufen nach Martins Beet. Der »Rabe« hat sich inzwischen auf den Wasserleitungskran geschwungen und legt, wie die beiden herankommen, den Kopf ein wenig schief, um sie besser ins Auge fassen zu können. Offensichtlich hat er nicht die geringste Furcht. In seinem Blick glitzert sogar eine gewisse spöttische Frechheit.

»Du, Martin«, sagt der Vater, »das ist aber kein Rabe, das ist eine Dohle. Ein Rabe ist etwas größer und plumper. Und dann diese hellblauen Augenringe, beim Raben sind sie braun.«

»Jaha?« sagt Martin.

»Sie scheint sogar ziemlich zahm zu sein. Merkwürdig, hier im Dorf hält sich doch niemand eine zahme Dohle, soweit ich weiß.«

»Soll ich ihr mal anfassen?«
»Aber wenn sie dich nun in den Finger hackt?«
»Du kannst ihr ja sagen, daß ich ihr nur mal anfassen will.«
»Hoffentlich versteht sie's auch! – Hören Sie mal, dieser kleine Junge tut Ihnen nichts. Er will nur mal ganz leise über Ihren Rücken streichen. Ob er das wohl darf?«
Da macht die Dohle ihren Schnabel auf und sagt: »Jakok! Roinkonge!«
Dann sieht sie den Vater wieder an, als wäre nichts geschehen.
Martin weicht unwillkürlich zwei Schritte zurück. Was ist denn das? Ein Vogel, der richtige Menschenworte aussprechen kann! Das geht doch nicht mit rechten Dingen zu.
»Sie hat was gesagt! Du, sie hat ja was gesagt!«
»Ja, manche Dohlen können sprechen.«
»Was hat sie denn gesagt?«
»Hast du das nicht verstanden? Sie hat gesagt: ‚Jakob, reinkommen!'«
»Jaha? Sie soll mal noch mehr sagen.«
»Wollen's mal probieren: Ach, würden Sie wohl so freundlich sein und uns noch ein bißchen was erzählen?«
Aber die Dohle richtet nur, wie Martin sich wieder etwas näher an sie heranwagt, ihre Augen mit einem kleinen Ruck auf ihn. Im übrigen bleibt sie stumm.
»Soll ich ihr nun anfassen oder nicht?« fragt Martin.
»Warum willst du sie eigentlich unbedingt anfassen? Ich fürchte, sie fliegt dann weg.«
»Das ist so schön. Ich weiß auch nicht. Wenn ich ihr anfasse, denn kenne ich ihr erst richtig.«
Da wird dem Vater plötzlich etwas klar. Martins Worte haben ihn gleichsam um Jahrtausende zurückversetzt und

ihn die Kindheit der Sprache erleben lassen. Nur das, was der Mensch der Urzeit anfassen konnte, war ihm »faßlich«. Nur was er betasten, begreifen konnte, »begriff« er. Was für eine sinnenhafte Kraft und Anschaulichkeit das Wort »begreifen« durch Martins Verlangen mit einem Male für den Vater gewonnen hat! Darum also wollen Kinder immer alles anfassen, eben weil sie es »fassen« wollen. Und darum will Martin jetzt die Dohle »begreifen«. Kinder haben offenbar noch denselben Trieb und Instinkt wie die Urmenschen. Sie eignen sich die Umwelt nicht mit ihrem Verstand, sondern mit ihren Sinnen, mit ihrem Fleisch und Blut an. »Wenn ich ihr anfasse, dann kenne ich ihr erst richtig.« Ja, das ist es! Man müßte viel mehr, als man es gemeinhin tut, auf die Sinnfälligkeit und Weisheit der Sprache achten.

Martin hat sich inzwischen mit halb erhobener Hand Schrittchen für Schrittchen an die Dohle herangeschoben. Sie rührt sich noch immer nicht.

Aber nun kommt etwas Grämliches in ihren Blick. Und wie Martin sich niederhockt und seinen Zeigefinger ausstreckt, um ihn von der Seite auf ihr Gefieder zu legen, schüttelt sie plötzlich mit einer schlenkernden Bewegung den Kopf.

»Auaah!« ruft Martin und fährt zurück. Sein Finger blutet. Die Dohle sagt aufgeregt »Jakok! Jakok!« und schwingt sich, die Flügel ausbreitend, mit einem wippenden Abstoß in die Luft. Erst taumelt sie etwas, dann fliegt sie davon, schneller und schneller, weit davon, bis sie im Dunst, der über dem Moor liegt, verschwindet.

Martin schleudert das Blut von seinem Finger auf die Erde: »Die is aber eklig.«

»Nämlich, Martin«, sagt der Vater, »wenn man etwas

begreifen will auf dieser Welt, dann muß man meistens dafür leiden. Zeig deinen Finger mal her! Na, sie hat dich aber ganz schön gehackt.«
»Warum will sie denn nich, daß ich ihr anfasse?«
»Weil sie denkt, du wolltest ihr etwas tun.«
»Aber ich will ihr doch nur streicheln.«
»Ja, du. Aber andere tun ihr etwas.«
»Versteht sie denn nich, was du sagst?«
»Wahrscheinlich nicht.«
»Aber sie kann doch sprechen.«
»Ach, Martin, sprechen ... Die Menschen können auch sprechen, und verstehen sich doch nicht. Sieh, und jetzt bist du es, der das nicht versteht.«
»Ne«, sagt Martin.

Er hat sich gestoßen

Leise vor sich hinweinend und in sich hineinschimpfend, kommt Martin durch den Gemüsegarten aufs Haus zu. Wie er zufällig einmal aufblickt, sieht er, daß die Mutter ihn vom Küchenfenster aus beobachtet. Sofort wird aus dem Weinen ein jämmerliches Gebrüll.
»Aber Martin, was ist denn los?«
»Uhuhuuu uhuhuhuuu ...!«
»Na, na, was hast du denn?«
»Ich habe mir so gestoßen! Uhuuu ...«
»Hör erst einmal auf zu weinen. Du! Martin!«
»Wenn es aber doch so schreeeecklich weh tut!«
»Wo tut es dir denn weh?«
»Das weiß ich doch nich mehr! Huhuhuhuuu!«

Er setzt der Mutter einen Helm aus Zeitungspapier auf

Wenn es regnet, darf Martin nachmittags zur Teezeit ein Stündchen in der Bibliothek spielen. Die Mutter hat dann ihren Nähkorb neben sich stehen, der Vater erzählt ihr von diesem und jenem oder liest ihr leise etwas vor, der Tee dampft, ein Löffel klirrt, es duftet nach geröstetem Weißbrot und zergehender Butter, und was Martin anlangt, so liegt er auf dem Teppich und besieht sich Bilderbücher oder alte Zeitschriften. Heute allerdings bemüht er sich, eine Zeitung so zusammenzufalten, daß ein Helm daraus wird. Es will und will ihm aber nicht gelingen. Da muß der Vater sich denn seiner erbarmen und das Papier auf die richtige Weise knicken und fügen. Den fertigen Helm setzt er zum Spaß erst einmal auf seinen eigenen Kopf und läßt, während er ausweicht und sich wieder vorbeugt, Martin danach greifen.

»Wem gehört der Hut?« sagt Martin und wedelt ungeduldig mit seinen Händen.

»Dir natürlich. Hier hast du ihn.«

Martin geht mit dem Helm um das Tischchen herum und stellt sich der Mutter vor, er läuft auf die Diele, um sich im Spiegel zu betrachten, er kommt zurück und grüßt den Vater, er nimmt den Helm ab und setzt ihn verquer auf, er nimmt ihn abermals ab, faltet ihn auseinander und versucht ihn wieder zusammenzulegen, macht's aber falsch und stöhnt und schwatzt vor sich hin.

Der Vater fragt die Mutter, warum sie so nachdenklich dasitze.

»Ob du das wohl auch kennst?« antwortet sie. »Eben, wie du den Helm aufhattest, warst du einen Augenblick ein anderer, nein, nicht ein anderer, ein neuer. Du warst noch du und warst mir doch so seltsam unbekannt. Es ging mir so süß und innig durchs Blut, wie ich dich so sah.«

»Mit dir erlebe ich das doch jeden Tag. Du brauchst nicht einmal einen Helm aufzusetzen oder dergleichen. Vorhin

zum Beispiel, wie du mit dem Arm voll Wäsche die Treppe herunterkamst und über etwas nachdachtest und nicht wußtest, daß ich unten in der Diele stand und dich beobachtete. Oder gestern, wie du so ernsthaft mit dem Bauer aus Westerwede sprachst, der den Torf brachte. Oder wenn du morgens aufwachst und so wirr und fremd um dich blickst. Oder wenn du in der Schaukel sitzest und vor dich hinsingst. Oder neulich, wie du dem Oyten diese überraschende Antwort gabst und so ein bißchen siegesbewußt wartetest, was er dir entgegnen würde. Ach, immer wieder erscheint etwas Neues und Unbekanntes an dir, das mich beglückt. Ich frage mich dann wohl, ob dies wunderliche Menschenkind allen Ernstes meine Frau ist, dieselbe, mit der ich nun schon fast vierzehn Jahre verheiratet bin.«

»Wirklich, du? Bin ich auch so? Sehe ich auch so verschieden aus? Warum sagst du mir's nicht hin und wieder einmal, wenn es gerade so ist, ich meine, wenn du dich gerade an mir freust? Eine Frau hört das nämlich ganz gerne.«

»Ob es dann nicht zerstört wird, wenn man darüber spricht? Es ist ja das unbefangene Leben, das sich bei all den Verwandlungen in dir regt. Und wer es fassen und begreifen will, und sei es auch nur mit Worten, läuft Gefahr, es zu verscheuchen. Vielleicht verscheucht er es sogar für immer. Ich glaube, man darf um keinen Preis daran rühren.«

»Aber weißt du, zu erfahren, daß ich so sein kann, ich auch, so immer wieder anders und schön für dich und so ... so jung, das ist doch auch das Leben. Man darf nicht darüber sprechen, und man müßte es doch wissen, es täte manchmal so gut, es zu wissen.«

»Ob dieser unlösbare Widerspruch nicht auch, wie so viele andere, durch die Liebe überwunden wird? Siehst du, ich weiß es von dir, dies Verzauberte und Beglückende, und du weißt es von mir, und wenn wir uns lieben, in den tiefsten Augenblicken unserer Zuneigung, weiß es ein jeder vielleicht auch geheimnisvoll von sich selbst, der eine im andern.«

Inzwischen hat Martin den Helm einigermaßen wiederhergestellt. Er ist ihm zwar etwas schief geraten, aber man erkennt doch, daß es ein Helm sein soll. Nun geht er damit zur Mutter und hebt sich auf die Zehen, um ihn ihr aufs Haar zu drücken. Sie neigt sich ihm entgegen und sagt: »Danke schön, Martin!« Und wie sie sich wieder aufrecht hinsetzt, mit dem Helm auf dem Kopf, und den Vater ansieht, merkt sie, daß in seinen Augen ein eigentümlicher Schimmer entsteht.
»Was ist?«
Aber er schüttelt den Kopf und lächelt sie an. Sie wird rot, nimmt den Helm ab und lächelt verwirrt zurück. Sie lächeln sich beide an, nur mit den Augen. Und dann holen sie tief Atem, ihre Lippen öffnen sich ein wenig, die Augen werden ernst, werden dunkel, versinken ineinander. Sie vergessen alles um sich her.
Da faßt Martin, wie er es immer tut, wenn er etwas vorbringen will, nach dem Arm der Mutter: »Soll ich dir mal sagen, wie du jetzt aussiehst?«
»Wie sehe ich denn aus?« fragt die Mutter leise, ohne den Blick von den Augen des Vaters zu lösen.
»Du siehst aus wie abends, wenn du mit mir betest.«
»Wie sehe ich da denn aus?«
»Ich weiß auch nicht, so anders.«
»Wie denn?«
»So ganz, gaaanz anders.«

Er kommt zu spät zum Essen

»Ja, mein Junge«, sagt die Mutter, wie Martin erst gegen den Schluß des Mittagessens eintrifft, »wer nicht kommt zur rechten Zeit, der muß essen, was übrigbleibt. Die Pfannkuchen sind inzwischen ziemlich kalt geworden. Wo hast du denn so lange gesteckt?«

Und der Vater, der die Pünktlichkeit über alles schätzt, kann es nicht lassen, hinzuzufügen, er wisse zwar, daß es für einen kleinen Jungen viel schwerer als für einen Erwachsenen sei, sich zur rechten Zeit einzustellen, aber da helfe nun nichts. »Bitte, gib dir ein bißchen Mühe! Hast du deine Hände gewaschen?«
Martin zeigt wortlos erst die Innenflächen und dann die Rückseiten seiner Hände.
»Und wo hast du so lange gesteckt?« fragt Viola.
»Ja, ihr könnt euch überhaupt freuen, daß ich überhaupt noch nach Hause gekommen bin. – Darf ich die Bickbeeren alle aufessen? Viiiielen Dank! – Unsere Feinde ausm Huddel haben uns gefangengenommen, ich meine, sie wollten uns gefangennehmen. Wilfried un Till un mich. Un da mußten wir ganz unten rum, weißt doch, durch Geffkens Garten. Un denn hatte Wilfried auch noch seine Tomahaxt verloren. Un wenn ich mal gaanich nach Hause komme, denn braucht ihr nur nacher Lindenallee zu gehen, denn haben sie mir da an einem Baum gebunden un zu Tode gemaartert.«

Er gibt ein Fest

»Sollen wir da etwa auch mitmachen?« fragt Görge beim Frühstück.
»Vio, reich mir mal den Honig herüber. Bitte!« Die Mutter antwortet, sie habe es eigentlich gedacht. Aber natürlich wolle sie niemanden zu seinem Glück zwingen. »Es wird nämlich ein ganz reizendes Fest. Ihr wißt nämlich noch gar nicht, was für tolle Lustbarkeiten wir vorbereitet haben, Martin und ich.«

Martin zieht die Schultern hoch und reibt seine Hände mit leisem Freudengewinsel vor seiner Nase.
»Ich mache jedenfalls mit«, sagt Viola.
»Ja, duuu! Du bist ja auch ein Mädchen. Aber wir! Sollen wir etwa mit Martin seinen Freunden, die noch Windeln unter den Hosen tragen, sollen wir mit denen etwa ›Häschen in der Grube‹ spielen? Ne!«
Christoph schüttelt, während er mit dem Löffel die kleinen Hautstückchen von der Milch abfischt, gleichfalls den Kopf und lacht verächtlich durch die Nase: »Ne!«
»Gaanich ›Häschen in der Grube‹!« ruft Martin. »Un Till sein Bruder will auch kommen. Un der is schon über zwölf. Un fürleich kommt sogar Gurke. Un Wilfrieds Vater, der uns den Vogel zum Kaputtschießen gebaut hat, der hat mir gefragt, ob ich ihm un seiner Frau auch mit einer Einladung belehren wollte.«
»Was wollte? Belehren wollte?«
»Oder was er nun gesagt hat.«
»Beehren heißt das, du Torfkopp!«
»Pst, pst!« macht die Mutter.
»Die kommen alle auf mein Fest.«
Der Vater sagt, er wisse noch eine ganze Reihe von Leuten, die ebenfalls Martins Fest besuchen wollten.
»Wer will denn noch?«
»Ich zum Beispiel.«
»Hach, hach, hach!« Görge schlägt sich verzweifelt vor die Stirn. »Dann kommt es für mich also auf überhaupt keinen Fall in Frage. Ein kleiner Bruder ist schon etwas Schlimmes. Und eine Schwester ist noch etwas Schlimmeres. Aber wenn ein Vater da mit herumspielt, das ist das Allerallerschlimmste.«

»Weiß ich«, sagt der Vater, »weiß ich aus eigener Erfahrung. Aber ich kann dir auch versichern, daß man sich mit der Zeit daran gewöhnt. Jedenfalls werde ich mich bemühen, euch keine Schande zu machen.«
Christoph erkundigt sich, ob der Vater womöglich im Sinne habe, sich am Sackhüpfen zu beteiligen.
»Wenn ich darf, warum nicht?«
»Und Mutti schießt womöglich mit dem Luftgewehr?«
»Und . . . hahaha . . .« Görge kann vor Lachen nicht weitersprechen. »Und . . . haha, streckt die Zungenspitze schief zum Munde heraus und ballert zwei Meter vorbei.«
»Ob ich mich getraue, mit dem Gewehr umzugehen, weiß ich noch nicht. Ich kann doch immer nur eins erkennen, entweder das Ziel oder dies Dings, wo man drüberhin gucken muß. Aber wenn die Mädchen Eierlaufen machen, dann bin ich dabei. Nicht wahr, Viola?«
»O ja, bütte, Mutti! Wir beide machen Eierwettlauf. Bütte!«
»Mädchen?« fragt Christoph.
»Was für Mädchen denn?«
»Na, mit denen Martin sonst auch spielt: Gündje, Luischen, Angela und Bettine.«
»Un Meta«, fügt Martin hinzu.
»Ach, du liebste, beste Zeit! Hast du gehört, Görge? Huddel-Meta kommt auch!«
Görge hebt die Arme halb hoch, zittert mit den hängenden Händen und läßt den Kopf mit kleinen Rucken vornübersinken, als wandle ihn eine Ohnmacht an. Dabei flüstert er mit erlöschender Stimme: »Huddel . . . Huddel . . . Huddel-Meta!« dann rafft er sich wieder auf und erklärt: »Ich will ja gern helfen, die Sachen aufzubauen und was es sonst so gibt. Aber mit Mädchen spielen, mit Huddel-Meta, nein,

das ist ja furchtbar. Also etwas Furchtbareres kann es nun nicht mehr geben.«
»Ihr seid ja!« ruft Viola. »Ich mache mit Mutti Eierwettlauf. Kann ich das blaue Kleid anziehen, Mutti? Weißt doch, das Hessenkleidchen?«
»Du Pfau!« zischt Görge. »Vio mit ihren Pfauenfedern!«
»Und außerdem«, höhnt Christoph, »mußt du dir noch eine Sicherheitsnadel durch die Nase pieken und zwei Reißzwecken in die Backen.«
»Ach, ihr seid ja! Christoph und Görge sind immer frech. Und soll ich euch mal was sagen?«
»Sag uns mal was.«
»Ihr habt ja bloß Angst, daß ihr beim Sackhüpfen besiegt werdet. So.«
»Hoho!« Christoph muß beinahe seine Milch wieder heraushusten vor Überlegenheit.
»Schön«, sagt der Vater, »ihr könnt es ja halten, wie ihr wollt. Aber die besseren Leute treffen sich heute nachmittag auf Martins Fest. Was, Martin?«
Martin duckt sich wieder zusammen und winselt mit ganz hoher, überglücklicher Stimme: »Juiii.«

Wie Martins Fest ungefähr eine Stunde im Gange ist, gibt es unter groß und klein nur eine Meinung: es sei das schönste von allen Festen, die je im Dorf stattgefunden hätten. Er selbst, Martin, stellt übrigens eine Sehenswürdigkeit für sich dar. Die hellblauen langen Hosen, das hellblaue, vorn offene Jäckchen mit dem weißen gefältelten Hemd darunter, der schief aufgesetzte Strohhut, unter dem die blonden Haare über die Stirn fallen, das Leuchten der dunkelblauen, etwas verlegenen Augen, die weißen Handschuhe, der Stab mit

dem Rosensträußchen oben drauf, das alles steht ihm, wenngleich er sich offensichtlich nicht eben glücklich damit fühlt, gar anmutig zu Gesicht. Jetzt sind alle Gäste da. Er braucht niemanden mehr zu begrüßen. Und so legt er denn, erleichtert aufatmend, Stab und Hut beiseite und mischt sich hüpfend in das selige Getümmel.
Am Ende des Rasenplatzes, gegen das Birkenwäldchen hin, befindet sich der Schießstand. Da stecken allerlei Kunstblumen mit goldenen Staubfäden in tönernen Röhrchen. Und wer ein Röhrchen mit dem Luftgewehr zerschießt, erhält die Blume. Zuoberst steht ein bunter Hahn, der, sobald er getroffen wird, rasselnd mit den Flügeln schlägt.

Vor allen Dingen spreizt ein Adler aus dünnem Holz auf einer Stange seine Flügel und Füße. Er soll nachher Stück für Stück erlegt werden. Der Glückliche, der zuletzt den Rumpf herunterholt, wird zum Schützenkönig ausgerufen. Zwischen den Busch-Eichen hat der Kasper mit Bratpfanne, Dolch und Holzhammer sein Wesen. An dem langen Tisch neben dem Teich kann jeder sich ohne weiteres niederlassen und in Butterkuchen und Himbeerwasser schwelgen. Und dann schwebt da an einem Bindfaden ein hölzerner Vogel, der einen spitzen, eisernen Schnabel hat, am Ast eines Apfelbaums. Es kommt darauf an, den Vogel so gegen die Ringscheibe schweben zu lassen, die am Stamm des Baumes angebracht ist, daß er mit dem Schnabel eine Zehn, eine Elf oder gar eine Zwölf anspießt.
Und Gewinne gibt es! Einer stellt, wenn man den Goldfaden abstreift und das Seidenpapier entfernt, immer eine noch größere Überraschung dar als der andere. Von Zeit zu Zeit hängt sich Tills Bruder die Ziehharmonika vor die Brust und spielt, während er im Garten umhergeht, alle Lieder, die er weiß, durch das bebende Laub der Bäume zum blauen Himmel empor.
»Hier, Mutti, hier!« ruft Viola und spannt das rosa Papierschirmchen, das sie beim Vogelstechen gewonnen hat, über ihrem Kopf auf und spaziert vor der Mutter, die mit einem Krug Himbeersaft über den Rasen geht, hin und her. »Christoph und Görge sind aber schön dumm, daß sie nicht mitspielen. Hier, sieh mal, man kann es auch wieder zusammenmachen. La lala lala ... Oh, zeiiig mal, Meta! Was iiist das?«
Da stößt jemand die Mutter leise von hinten an. Wie sie sich umdreht, steht Martin da und bedeutet ihr, verstohlen

mit seinem eingekrümmten Zeigefinger winkend, sie solle ihm folgen.
»Was ist denn, Martin?«
Aber er schließt nur, halb ernst, halb lächelnd, die Augen, öffnet sie wieder, nickt ein wenig und winkt abermals mit dem Zeigefinger.
»Warte, ich muß nur eben den Krug auf den Tisch setzen.«
Dann läßt sie sich von Martin führen, der sich mit auffälliger Unauffälligkeit von den anderen entfernt und schließlich hinter einem Ginsterbusch stehenbleibt. Er flüstert, ohne sich der Mutter zuzuwenden, sie solle doch einmal nach der Hecke hinübersehen. »Aber nur so wie zufällig, daß sie nichts merken.«
Die Mutter summt etwas vor sich hin, streicht über ihr Haar und wirft einen Blick auf die Hecke. Dort, wo die Lücke ist, durch die Martin immer zu schlüpfen pflegt,

wenn er Till besucht, taucht gerade Görges Kopf auf, reckt sich und bewegt sich spähend hin und her. Und dann hebt sich neben ihm auch Christophs Kopf empor. Sie ducken sich weg, wenn sie glauben, jemand könne sie bemerken, und spähen gleich darauf von neuem nach den spielenden Kindern hinüber.

»Soll ich mal hin un sie herholen?« fragt Martin. »Ich mag das gaanich, wenn Christoph und Görge nich mitspielen.«
»O diese dummen Bengel! Sie möchten doch so gern. Aber weißt du, Martin, wenn du jetzt zu ihnen gehst, dann kommen sie bestimmt nicht.«
»Das glaube ich einlich auch.«
Die Mutter schlägt vor, den Vater um Rat zu fragen.
Der Vater versucht gerade am Schießstand eine von den Wunderblumen zu gewinnen. »Einen Augenblick«, sagt er. Poff.
»So, die hätten wir.« Während er sich die Blume ansteckt, berichtet die Mutter von Martins Entdeckung. Und Martin steht dabei und sieht den Vater mit seinen großen Augen an. Aber der Vater lacht nur und sagt, es solle ihn wundernehmen, wenn Christoph und Görge sich nicht innerhalb der nächsten Viertelstunde ganz von selbst in das Festgetriebe einschmuggeln würden. »Laßt sie nur in Ruhe. Die kommen schon. Und jetzt wollen wir drei einmal ein Wettschießen machen.«
Die Mutter kann jedoch nicht umhin, sich immer wieder zurückzuwenden und die Heckenlücke zu beobachten. Und da sieht sie, wie Christoph und Görge vorsichtig hindurchkriechen, bis zu den Busch-Eichen vorrücken, zwischen denen das verlassene Kaspertheater steht, dort eine Weile

liegenbleiben und sich dann mit den Händen in den Taschen wie von ungefähr in den Kinderhaufen mischen, der gerade am Gebüsch vorbeiläuft, um sich am Ende der Wiese zum Sackhüpfen aufzustellen. Und wie sich die ersten fünf gleich wilden Moorfröschen durchs Gras schwingen, sich überkugeln, sich aufraffen, die Säcke hochziehen und weiterhüpfen, da sind Christoph und Görge wahrhaftig schon dabei.

»Sie haben schon hergefunden«, flüstert die Mutter dem Vater zu, der gerade anlegt.

Poff.

»Na, was ist es geworden, Martin?«

»Eine Zehn.«

»Das reicht nicht. – Wer hat hergefunden?«

»Die beiden Großen. – Sie sind schon beim Sackhüpfen. Was haben wir doch für Jungen! Ich bin so glücklich, daß sie doch noch gekommen sind. Sogar mit sauberen Hemden. Meinst du nicht auch, daß wir eigentlich lauter nette Kinder haben?«

»Hoffentlich haben die Kinder auch manchmal eine so freundliche Meinung von ihren Eltern!«

»Ich finde uns beide auch ganz nett. – Wo ist Martin denn geblieben?«

»Er war doch eben noch hier. Ach, da hinten!«

Martin läuft mit fliegendem Jäckchen auf Christoph und Görge zu, die gerade aus ihren Säcken heraussteigen und sich lachend mit Gurke streiten.

»Jetzt ist er vollkommen glücklich«, sagt die Mutter.

In diesem Augenblick stimmt Tills Bruder auf seiner Ziehharmonika das Lied von der schönen Jugend bei frohen Zeiten an. Die Sonne scheint so warm. Zuweilen schwanken die Wipfel der Birken ein wenig im Winde. Es riecht nach Faulbaum und sommerlichem Laub.

»Los!« ruft Görge. »Wer ist an der Reihe? Komm her, Martin!«

Er fällt die Treppe hinunter

In der Abenddämmerung gibt es ein ungeheures Gepolter im Hause, dann herrscht ein paar Sekunden Stille, und dann erschallt Martins Wehgeschrei. Die Mutter stürzt aus der Küche heraus, Viola aus ihrem Schlafzimmer, Gesine taucht aus dem Keller auf, und selbst der Vater läßt seine Dichtkunst im Stich, eilt herbei und dreht das Licht an. Es stellt sich heraus, daß Martin kopfüber die Treppe hinuntergefallen ist, die ganze Treppe von oben bis unten, sogar um die Biegung herum. Zum Glück scheint er außer einer

Beule am Kopf und einer Hautabschürfung am Schienbein keinen Schaden davongetragen zu haben. Und nachdem die Mutter, auf der untersten Treppenstufe sitzend, ihn eine Zeitlang auf ihrem Schoß gewiegt und seine Tränen mit ihrer Wange weggewischt hat, kann er schon wieder Rede und Antwort stehen.
»Wie hast du das denn gemacht«, fragt Viola, »daß du da runtergebollert bist?«
»Ja, Viola, ich wollte doch oben anner Treppe das Licht anknipsen, un da dachte ich, die Treppe kämte noch nich, un da bin ich ein Stück inner Luft gegangen, un da fiel ich mit einem Male runter.«

Er schlichtet einen Streit

»Hör mal, Martin«, ruft Frau am Holte, »was machst du denn da oben auf meinem Kirschbaum?«
»Och, Ihr Mann hat aber gesagt, ich könnte mich ruhig mal eine Hand voll abpflücken.«
Glücklicherweise kommt Herr am Holte gerade des Wegs und bestätigt, daß es sich so verhalte.
»Mein lieber Johannes«, sagt Frau am Holte, »seit wann verfügst du denn über meinen Wirtschaftsgarten?«
»Über deinen Wirtschaftsgarten? Wieso ist das denn d e i n Wirtschaftsgarten?«
»Lieber Johannes . . .«
Es entspinnt sich, halb im Scherz und halb im Ernst, ein Streit über die schwierige Frage, wer hier und überhaupt »das Sagen« habe. Martin nützt währenddessen die Gelegenheit und läßt sich die Kirschen schmecken, so schnell es geht.

Da Herr am Holte den Frieden über alles schätzt, schlägt er, um das Ganze endgültig ins Scherzhafte zu ziehen, augenzwinkernd vor, sie wollten einmal Martins Ansicht hören. »Sei still, geborene Schultz! Kindermund tut Wahrheit kund. Martin, was glaubst du wohl, wem dies Haus und der Garten und der Kirschbaum und alles gehört? Meiner Frau oder mir?«
»Och«, meint Martin, »das weiß ich nun auch nicht so genau.«
»Paß auf, mein Junge«, sagt Herr am Holte und wiegt sich schon in der Gewißheit seines Sieges. »Was steht denn auf dem Schild draußen an der Gartentür?«
Martin spuckt einen Kern aus. »Och, da steht auf: ›Vorsicht vor dem bissigen Hund‹.«

Er ist krank

Martin hat einige Tage mit trüben Augen und fiebrigen Lippen im Bett gelegen. Der Vater vermutete geradezu, es würden die Masern werden, weil die Krankheit im Dorf umging, und besah sich jeden Morgen und jeden Abend die Innenseite der Backen und die Rückseite der Ohren. Aber die Mutter sagte, sie wolle es erst einmal mit Kamillentee und Zwiebäcken versuchen. Und richtig, die Augen wurden wieder klar, das Fieber verlor sich, Martin durfte wieder aufstehen.
Nun schlendert er im Garten umher. Der Vater kann sich jedoch nicht helfen, er findet, der Junge mache noch immer einen recht hinfälligen Eindruck.
»Wie fühlst du dich denn, Martin?«

»Ich fühle mich manichmal aufer einen Seite so heiß un aufer annern friere ich.«
»Da haben wir's ja! Komm mal her! Wann bist du heiß?«
»Soll ich dir mal sagen, wann ich aufer einen Seite heiß bin? Wenn manichmal die Sonne scheint, un denn scheint sie ja nur von der einen Seite an mir ran, un denn bin ich da heiß, un an der annern Seite weht der Wind, un da friere ich.«

Er malt ein Schiff

Der Vater hat Besuch von einigen Kunstmalern und Schriftstellern. Sie sprechen, wie üblich, über das Wesen der Kunst. Die Zigaretten und Pfeifen qualmen, die Augen werden dunkel, die Hände recken sich gegeneinander. Einer schiebt seinen Sessel zurück, springt auf, stellt sich hinter die Lehne und hält eine kleine Rede. Ein anderer verbiegt die Briefklammer, die er aus seiner Rocktasche geholt hat, zu den absonderlichsten Formen. Ein dritter kommt und kommt nicht dazu, seine Zigarette zu Ende zu drehen, weil ihn immer wieder irgendeine Behauptung so erregt, daß er das halbfertige Gebild unter Hervorstoßung eines dreimaligen Nein in das Tabakkästchen werfen und den Deckel empört zuklappen muß. Ein vierter geht im Zimmer auf und ab und streut von ferne, ohne daß jemand auf ihn achtet, seine Anmerkungen ins Gespräch. Nur die Mutter sitzt still da, neigt ihr Gesicht von Zeit zu Zeit über den Pulloverärmel, an dem sie strickt, zählt die Maschen, hört zu und denkt sich ihr Teil.
Plötzlich fragt der Umhergehende, indem er nach einem bunten Blatt greift, das auf dem Cembalo zwischen den

Notenheften liegt: »Was ist denn das hier?« Er tritt unter die Kampfhähne und wirft das Blatt auf das Tischchen mit den Aschenbechern. »Ich erlaube mir die Frage, was das hier ist.«

»Das?« sagt der Vater. »Das hat Martin mit seinen Buntstiften gemalt.«

Alle starren auf das Blatt, auf dem ein ungefüges Segelschiff dargestellt ist. Es schwimmt groß und schwermütig auf einem Ozean von verschiedenen Blaus, die ineinander übergehen und die ganze Fläche ausfüllen. Die Farbe des Rumpfes schwankt zwischen Lila und trübem Weinrot, das Segel ist flaschengrün, das Tauwerk wieder lila, aber um eine Schattierung dunkler als der Rumpf, fast violett schon. Wenn die Farben sich auch ungewöhnlich ausnehmen, so stimmen sie doch auf eine gedämpfte und düstere Weise zusammen. Zweifellos hat das Pastell einen fremdartigen Reiz.

»Was wollt ihr denn«, ruft der Maler, der das Pastell gefunden hat, »kann man hier etwa noch von Gegenständlichkeit sprechen? Hat diese Schöpfung einer kindlichen, einer unbefangenen, einer träumenden Seele noch etwas mit einem Schiff zu tun?«

»Natürlich«, wirft jemand ein, »du gebrauchst ja selbst den Ausdruck ›Schiff‹.«

»Ach was! Ist hier etwa ein Schiff gemeint? Keineswegs. Hier hat ein farbiges Erlebnis, das im Unterbewußtsein vor sich ging, seinen unmittelbaren Ausdruck gefunden. Gewiß, der äußere Anlaß war ein Schiff. Aber das ist gleichgültig. Der Gegenstand ist vollkommen gleichgültig. Die innere Vision, die innere Gestimmtheit, die innere ... das innere ... der Traum ... die abstrakte, durchaus unreale, überreale, transreale Vorstellung, die reine Qualität der Farben, der geheimnisvollen Farben als Ausdruck einer verborgenen Traurigkeit oder wessen immer, das hat sich hier ereignet. Ein Schiff? Aber es ist lächerlich, angesichts dieses kleinen Wunders von seelischer Unmittelbarkeit an ein Schiff zu denken.«

Da steht der Vater, der gehört hat, daß sich draußen auf der Diele etwas regt, leise auf und öffnet die Tür. »Hast du mal einen Augenblick Zeit für uns, Martin?«

»Hja. Aber ich muß eben noch den Hammer zu Till bringen.«

»Kannst du gleich. Komm doch mal einen Augenblick herein.«

Martin tritt ins Zimmer, macht eine kurze, hastige Verbeugung mit dem Kopf gegen den Tisch und sagt mit singender, etwas erhobener Stimme: »Guten Taag!«

»Martin, warum hast du eigentlich das Schiff so merkwürdig angemalt, die Segel so grün und den Rumpf so lila oder was das nun für Farben sein sollen?«

Alle sehen Martin an, wie er da mit seinem verwehten Haarschopf und den abgewetzten langen Hosen, deren Träger von den Schultern auf die Oberarme gerutscht sind, in der Tür steht. Er wird ein bißchen rot.

»Ne«, sagt er, »einlich wollte ich das ganz anders machen. So richtig, wie es richtig is. Ich wollte die Segel so gelblich machen. Erst hatte ich das blaue Wasser gemacht über das ganze Papier. Das wollte ich so blau machen. Aber da brach der Buntstift ab, und da habe ich das andere Blau genommen. Aber das war nich so schön. Un da habe ich den Buntstift von deinem Schreibtisch geholt. Un wie ich nun das gelbe Segel auf das Blau draufmachen wollte, da wurde es grün. Un bei dem Rumpf auch. Der sollte braun werden. So

braunes Holz. Un da wurde es so komisch. Und die Bünfäden an das Schiff, da habe ich Rot genommen, weil ich nichts anderes mehr hatte. Ich hatte nur noch Grün und Rot. Un grüne Bünfäden gibt es doch nich. Denn schon lieber rot. Aber da wurde es lilablau oder so.«
Der Vater sagt: »Soso.«
Der Maler gibt sich jedoch noch nicht geschlagen: »Es liegt daran, daß der Junge ja nicht weiß, was er redet. Vielmehr, daß er nicht weiß, was sich in Wirklichkeit in ihm abgespielt hat, als er das Bild malte. Er kann es, er darf es ja auch gar nicht wissen.«
Da hebt die Mutter, ehe die andern etwas entgegnen können, den Kopf von ihrer Strickarbeit, schüttelt das Wuschelhaar zurecht und lacht ein wenig. »Ich muß so oft denken, auch wenn ich zum Beispiel Kunstbücher lese, man könnte dies und das viel einfacher erklären. Natürlich getrau ich mich nicht, es auszusprechen, weil ich ein töricht, furchtsam Weib bin. Aber in diesem Fall darf ich mir ein Urteil erlauben. – Martin, du kannst loslaufen, wir brauchen dich nicht mehr. – Das Bild wird schon genauso entstanden sein, wie Martin es geschildert hat, ohne Unterbewußtsein und all so etwas. Er ist ja weder außen noch innen ein Künstler. Überhaupt nicht. Das hat er nämlich von mir.«
»Gott sei Dank!« sagt der Vater.

Er ärgert die Leute

»Ihr habt ja ein schönes Gebrüll veranstaltet, Martin, draußen vor der Gartentür. Was gab's denn da?«
»Och, wir haben nur ein bißchen ›Leute ärgern‹ gespielt.

Da waren so Leute ausm Huddel, die haben wir geärgert.«
»Wie habt ihr denn das gemacht?«
»Och, Till, der hat was hinter sie her gerufen un Wilfried auch.«
»Was denn?«
»Och, das habe ich nich so richtig verstanden, so was Komisches. Du, Till hat gesagt, die Huddelleute hätten den Draht in unserer Hecke kaputtgemacht.«
»Das glaube ich nicht. Und wenn sie es getan haben, dann flicken wir ihn eben wieder zusammen. Hast du die Huddelleute denn auch geärgert?«
»Jaha! Ganz tüchtig!«
»Wie denn? Womit denn?«

»Och, ich bin anner Gartentür gegangen und habe ›Rotz Schnotz‹ gesagt. Aber da waren sie schon ein Stück weg. Un denn wollte ich noch ›Drahtkaputtmacher‹ sagen.«

Er lacht

Nachdem die Mutter die köstliche Reissuppe aufgeteilt hat, sind alle schweigend damit beschäftigt, ihr Ehre anzutun. Mit einem Male zieht Martin den Hals ein bißchen ein, legt den Kopf schief und lacht vor sich hin.
Fünf Augenpaare blicken auf.
»Warum lachst du denn, du kleine Meerkatze?« fragt der Vater.
»Weil ich das so gern mag.«
»Was magst du so gern?«
»Das Lachen.«

Er schämt sich nicht

Die Mutter beugt sich zum Fenster hinaus und ruft Martin, der im Garten spielt, zum Abendessen. Nach einer guten Weile kommt er, eine kleine Harke hinter sich her schleifend, ins Zimmer. Alle sitzen bereits um den gedeckten Tisch herum.

»Hast du dir die Hände gewaschen?«

»Ne.«

Er geht in die Küche. Die Mutter ruft hinter ihm her, er solle die Harke in den Windfang stellen.

»Du«, sagt Viola, »ich glaube, er weint.«

»Seid mal still!«

Richtig, aus der Küche ertönt ein klägliches Geschluchze. Die Mutter geht hinaus und läßt die Eßzimmertür und die Küchentür offen. So können die anderen das Gespräch mit anhören.

»Was hast du denn, Martin?«

»Ich habe mir eine ganz schöne Stadt gebaut auf mein Sandhaufen. Un gerade wie ich anfangen wollte, damit zu spielen, da muß ich reinkommen.«

»Aber, Junge, das ist doch nicht so schlimm. Du kannst doch morgen den ganzen Tag mit deiner Stadt spielen.«

»Aber jetzt nich.«

»Sieh mal, ich möchte auch manchmal gern noch etwas tun, ein Buch lesen, Cembalo spielen oder so, und dann höre ich doch selbstverständlich auf, wenn's Zeit ist, daß ich das Essen koche. Das muß doch jeder. Christoph und Görge auch. Und Viola auch. Wäre es wohl schön, wenn wir dann alle anfangen wollten zu heulen?«

»Nehe.«

»Findest du denn dein Geheule schön?«
Martin schluckt die Tränen herunter und sagt: »Ne.«
»Ich auch nicht. Ich finde es sogar ziemlich schlimm, wenn ein Junge wegen so einer Kleinigkeit gleich losheult. Schämst du dich denn wenigstens ein bißchen?«
»Ne.«
Da brechen alle in ein herzhaftes Gelächter aus, und die Mutter muß gleichfalls mitlachen.
»Laß ihn nur«, ruft der Vater der Mutter zu. »Daß er geheult hat, war sicher ziemlich schlimm. Aber daß er eben ›ne‹ gesagt hat, finde ich nun wieder ziemlich gut. Es wäre wunderbar, wenn er noch recht lange den Mut aufbrächte, in einem solchen Fall bei seinem ›Ne‹ zu bleiben. Sagt er erst, unehrlicherweise, ›ja‹, nur um des lieben Friedens willen, ach, dann . . .«
»Was dann?« fragt Görge.
»Dann fängt er an, erwachsen zu sein. Und das ist eine furchtbar traurige Angelegenheit.«

Er hat sich gefreut

»Nun, Martin«, sagt Frau am Holte, »wie war denn dein Geburtstag? Du hast doch gestern Geburtstag gehabt, nicht wahr?«
»Hja.«
»Wie war's denn?«
»Schön.«
»Hast du dir auch was Hübsches schenken lassen?«
»Hjaha!«
»Und konntest du denn auch alles gut gebrauchen?«

»Och, manches war ja'n bißchen schundig. Aber ich habe mir auch wieder gefreut.«
»So? Worüber denn?«
»Ich habe mir gefreut, daß es nich noch schundiger war.«

»Muttihi?« fragt Martin.
»Ja?«
»Mutti, was is einlich Kunst?«
Einen Augenblick fühlt die Mutter sich versucht, die unbehagliche Frage mit der Redensart, das verstünde er noch nicht, abzutun. Aber dann schämt sie sich ihrer Bequemlichkeit und beginnt dem Jungen das Wesen der Kunst darzulegen, so gut sie's eben vermag. Zuerst weist sie ihn auf die Cembalo- und Blockflötenmusik hin, die sie abends mit Christoph und Görge aufzuführen pflegt. Dann erklärt sie ihm, was es mit der Bemühung eines Malers auf sich hat, zum Beispiel vermittels eines Blumenstraußes, den er darstellt, seine Freude oder seine Schwermut auszudrücken, merkt aber, daß da verschiedene Fragen auftauchen, über die sie sich selbst noch nicht recht klar ist, und geht lieber zur Dichtkunst über. Es stellt sich jedoch heraus, daß die Bewandtnisse hier noch schwieriger sind als dort.
So sagt sie schließlich: »Weißt du, Martin, ich denke mir, daß jeder Künstler ein bißchen was vom lieben Gott hat. Ob er nun mit Tönen oder Farben oder mit Worten arbeitet, immer erschafft er etwas, was vorher so noch nicht da war und was schön und richtig ist und eine Ordnung und ein Leben und eine Seele in sich hat. Und das nennt man Kunst. Ob du wohl verstehst, wie ich's meine?«
»Hja«, sagte Martin. »Un was is nun Kunstdünger?«

Er sagt, daß es ihm leid tut

In der Dämmerstunde tritt der Vater mit hochgeschlagenem Mantelkragen aus der Gartentür und wendet sich nach rechts, um, wie jeden Tag um diese Zeit, über den Hügel ins Dorf zu schlendern und seine Briefe bei der Post aufzugeben. Es ist ein diesiger Februarabend mit langsam treibenden Nebelwolken. Der Schnee, der tagsüber ins Schmelzen gekommen war, beginnt wieder fest zu werden. Mit einem Male erblickt der Vater in einiger Entfernung ein Schauspiel, das ihm den Atem stocken läßt.
Ein kleiner Junge läuft, gefolgt von einer Frau, mit schnellen, zappeligen Sprüngen durch den Schnee. Der Vater erkennt sogleich, daß der Junge niemand anders als Martin ist. Aber er erkennt auch zu seiner Bestürzung, daß es sich nicht um irgendein Spiel, sondern um eine ernste An-

gelegenheit handeln muß. Die zustoßende Art der Frau hat etwas von der Unbarmherzigkeit eines Raubvogels, der hinter einem Sperling her ist, und Martin läuft, als gelte es sein Leben. Gerade wie die Frau ihn greifen will, schlägt er einen Haken, rutscht aus, fällt hin, wirft sich zur Seite und hastet auf allen vieren weiter. Da ist die Frau auch schon über ihm, reißt ihn hoch und schleudert ihn mit aller Kraft wieder in den Schnee.
»He!« ruft der Vater. »Was gibt das denn?«
Nun tut die Frau, die sich nicht um das Rufen kümmert, etwas Schreckliches. Sie schlägt blindlings auf Martins Gesicht ein. Es hilft ihm nichts, daß er die Schläge mit Händen und Füßen abzuwehren versucht. Sie treffen ihn, daß es nur so klatscht.
»Aufhören!« ruft der Vater mit einer Stimme, die vor Erregung ganz hell wird, und läuft, so schnell er kann, auf die schattenhafte Gruppe zu.
Martin preßt die Arme vor sein Gesicht und wälzt sich auf den Bauch. Aber die Frau dreht ihn herum und schlägt ununterbrochen mit beiden Händen von rechts und links zu. Erst klingt es dumpf, dann klatscht es wieder.
Der Vater fühlt, wie eine Welle von Raserei über ihn kommt. – Nur nicht die Beherrschung verlieren! denkt er während des Laufens. – Wie ist es möglich, daß dieser Satan von einem Weibsbild einen so zarten Jungen . . . Nur nicht die Beherrschung verlieren! – »Lassen Sie den Jungen los!« – Sie hört noch immer nicht auf. Aber ich kann doch eine Frau nicht schlagen! Diese Teufelin! Um alles in der Welt, ich weiß nicht mehr, was ich tu! – »Lassen Sie den Jungen los!«
Da richtet die Frau sich auf und erwartet den Vater mit

einem verzerrten Lächeln. Sie trägt grüne Skihosen und funkelnagelneue, hellbraune Stiefel. Martin ist sofort wieder auf den Beinen. Er hebt seine Pudelmütze auf und wischt, ohne recht bei der Sache zu sein, den Schnee von seiner Jacke. Sein Blick hängt mit unsicherem Ausdruck am Vater.
»Schämen Sie sich gar nicht«, keucht der Vater, »sich einem wehrlosen Kinde gegenüber so zu vergessen?«
»Das wehrlose Kind hat mir hinterrücks einen Schneeball in den Nacken geworfen.«
Die Frau sieht den Vater mit kalten, höhnischen Augen an.
»Komm einmal her, Martin! O je, wie hat sie dich zugerichtet!« Martins Gesicht ist verschwollen, einige Stellen sind rot, andere weiß von den Schlägen. Das linke Auge hat sich fast geschlossen. Das rechte wirkt dadurch noch größer, als es sowieso schon ist. Man merkt ihm an, daß er sich Mühe geben muß, nicht zu weinen. Aber er weint nicht. Er zieht nur den Schnupfen in seiner Nase hoch und versucht zu lächeln.
»Ich wollte ihr einlich bißchen tiefer treffen.«
»Ach Martin, das schadet nichts, das schadet überhaupt nichts.«
»Sind Sie der Vater des Lümmels?« fragt die Frau.
Eine neue Welle der Raserei wogt über den Vater hin: »Hätte er Ihnen doch nur ein Dutzend Schneebälle in Ihren lächerlichen Nacken geworfen!«
»Wer sein Kind so miserabel erzieht wie Sie, hätte alle Ursache, denen dankbar zu sein, die seine Fehler zu verbessern trachten.«
»Sie wagen es, von Erziehung zu reden, die Sie gerade eben wegen eines Schneeballs in die roheste Barbarei verfallen sind?«

»Haben Sie mir sonst noch eine Neuigkeit zu sagen?«
»Ja, ich möchte Sie beglückwünschen, daß Sie kein Mann sind. Sonst hätte ich Sie jetzt bis aufs Blut gezüchtigt.«
Während der Vater diese Worte hervorstößt, flüstert ihm eine innere Stimme zu, alles, was er sagt, sei die reine Unvernunft. Er solle sich lieber um Martin kümmern. Aber er muß es sagen, er muß es, sonst erstickt er. Jedesmal, wenn er Martins geschändetes Gesichtchen ansieht, würgt ihn die Wut von neuem.
»Sehr interessant!« lächelt die Frau, dreht sich um und geht mit entschiedenen Schritten davon.
Der Vater hat das Gefühl, als müsse er niederknien und Martin an sich drücken und ihn küssen. Aber er fürchtet, ihn durch solchen Überschwang, der sonst nicht Brauch ist zwischen ihnen, mehr zu verwirren als zu trösten. So begnügt er sich damit, ihm das Haar zurechtzustreichen, ihm die Mütze aufzusetzen, die kleine Jungenhand zu umfassen, die sich wie ein ängstliches Vögelchen in seiner Hand bewegt, und ihn zu fragen, ob er lieber nach Hause oder mit zur Post möchte.
»Gehst du zur Post? Ne, denn will ich lieber mit zur Post.«
»So, Martin, und nun erzähl mir einmal, wie das alles gekommen ist.«
»Och«, sagt Martin im Gehen, »wir wollten ihr bloß mal auf ihren Dingsbums treffen, Till un ich.«
»Till? Wo ist Till geblieben?«
»Och, Till, der konnte besser weglaufen als ich. Un wie wir ihren Dingsbums treffen wollten, da habe ich ihr zu hoch getroffen. Und da is sie hinter mir hergerannt.«
»War's schlimm, Martin, wie sie dich geschlagen hat?«

»Och, zuerst war's ein bißchen schlimm. Aber jetzt is es schon wieder besser.«

»Hör mal zu, Martin, warum hast du sie denn nicht in die Hand gebissen, diese Trulle, warum hast du sie nicht gekratzt, oder noch besser, warum hast du sie nicht einfach ins Gesicht getreten?«

»Och, ich dachte, denn könnte das Gesicht fürleich kaputtgehen.«

»Weißt du, in so einem Fall, wenn der andere so viel stärker ist als man selber und so grausam, dann muß man sich eben wehren, wie man nur irgend kann. Du hättest sie ruhig ins Gesicht treten sollen, mit voller Kraft, am besten auf die Nase.«

»Meinst du?«

»Ja, das meine ich.«

»Mit Schuhen?«

»Ach natürlich, Martin! Ich kann dir gar nicht sagen, wie ich diese Frau hasse!«

Sie reden noch eine Weile über den Fall. Aber der Vater muß wieder im Hintergrund seines Kopfes denken, daß seine Worte sich nicht gerade durch Weisheit und Vernunft auszeichnen. Alles, was er gesagt und getan oder vielmehr nicht getan hat, will ihm nicht gefallen. Vielleicht wäre es doch das Richtige gewesen, er hätte dem Geheiß seines empörten Blutes gehorcht und die Frau geschlagen, wie sie den Jungen geschlagen hat. Oder er hätte sie wenigstens, wenn er sie denn nicht geradezu schlagen mochte, mit dem Kopf in eine Schneewehe stecken sollen. Irgend etwas hätte jedenfalls geschehen müssen. Sie durfte doch nicht, diese anmaßende Person, ohne jegliche Strafe davonkommen. Andererseits, Strafe ... Er ist durchaus davon überzeugt,

daß man mit Strafen nur wenig ausrichten kann, bei Kindern wie bei Erwachsenen. Martin war ja auch im großen und ganzen ohne Strafen erzogen worden. Sich erst einmal selbst erziehen, vorleben, überzeugen, beharrlich sein, Geduld haben, darauf kommt es an. Es kommt, wie man es auch drehen und wenden mag, auf die Liebe an. Wenn er nun mit der Frau ruhig gesprochen, sie zur Einsicht gebracht, sie ein wenig verwandelt hätte, wäre das nicht besser gewesen als das sinnlose Geschimpfe? War die Frau nicht im Grunde ein unseliges Geschöpf? Wer sich über einen Schneeball so aufregen, wer so zügellos über ein Kind herfallen konnte, mußte doch innen wund, krank und zerrissen sein. Und doch und doch und doch, er würde das Bild nie vergessen, wie Martin sich da im Schnee wälzte und die Frau ihn sich mit rohem Griff zurechtlegte und mit beiden Händen schneller und schneller auf ihn einschlug. Und dann dieser kalte Blick. Er hatte, der Vater, vor Erregung kaum sprechen können, und sie hatte ihn kalt und höhnisch angesehen. »Entschuldige, Martin, ich habe eben nicht richtig zugehört: Was meinst du?«
»Wovon kommt das einlich? Till hat gesagt, wenn jemand ganz kalt is un denn reibt ihn wer mit Schnee ein, denn wird er ganz warm. Wovon kommt das einlich?«
»Ja, du, das muß ich mir erst einmal überlegen.«
Womöglich waren die Augen gar nicht kalt. Sollte man nicht annehmen, daß sie Angst gehabt hatte, wie er da auf sie losstürzte, als wollte er sie umbringen? Kalt und höhnisch? Es war ihm jedenfalls so vorgekommen. Aber verbürgen konnte er sich auch nicht dafür. Womöglich wollte sie nur ihre Angst verstecken und womöglich waren ihr inzwischen schon allerlei Zweifel gekommen, ob sie recht

gehandelt hätte. Niemand weiß ja, wie es in einem andern Menschen wirklich aussieht.
»Legst du dir immer noch über?«
»Paß einmal auf, Martin! – Das mit dem Schnee erkläre ich dir nachher, wenn wir auf dem Rückweg sind. – Paß einmal auf, ich sehe gerade, daß die Frau da drüben vor der Post steht. Das ist sie doch, die da unter der Laterne steht und einen Brief liest?«
»Ja, das ist sie.«
»Vielleicht schämt sie sich inzwischen ja ein bißchen, weil sie dich so unbeherrscht geschlagen hat. Also paß einmal auf: Jetzt gehst du langsam an ihr vorbei, und wenn du gerade vorbeigehst, läßt du dieses Schlüsselbund fallen. Dann wird sie dich sicher bemerken. Und dann wollen wir einmal sehen, ob sie vielleicht irgend etwas zu dir sagt. Willst du das einmal tun?«
»Un wo bist du so lange?«
»Ich stelle mich hinter die Büsche da.«
»Un wenn sie mir wieder hauen will?«
»Ich verspreche dir, daß es ihr nicht gelingen soll, auch nur die Hand hochzuheben.«
Martin geht also an der Frau vorbei und wirft das Schlüsselbund klirrend in den Schnee. Die Frau blickt auf, kneift die Augen zusammen und sieht Martin an. Er sieht sie auch an.
»Da ist der unverschämte Bengel ja wieder.«
»Hja«, sagt Martin.
»Was willst du denn?«
»Och . . .«
Der Vater überlegt schon, ob er Martin nicht zurückrufen soll. »Der unverschämte Bengel . . .« Es hat ja keinen

Zweck, der Versuch ist gründlich mißlungen. Wer einen solchen Ton anschlägt, kennt keine Zweifel an seinem Wesen und Tun. Diese Frau ist offensichtlich böse. Ach ja, es gibt das Böse in der Welt, das Harte und Unmenschliche.

»Du willst mir wohl sagen«, fährt die Frau fort, »daß es dir leid tut?«

»Ne, sagen wollte ich das einlich nich so gern.«

»Aber es tut dir leid?«

»Och . . . ja . . .«

»Dann sag's auch gefälligst!«

»Och . . .«

»Also los!«

Martin sieht sich verstohlen um. Dann hebt er die unschuldigen Augen zu dem harten Gesicht empor, beginnt mit dem Kopf zu wackeln und sagt, nachdem er einmal und noch einmal geschluckt hat: »Och, es tut mir leid, daß ich Ihnen vorhin nich aufer Nase getreten habe.«

Ein Glück, daß der Vater mittlerweile schon aus seinem Versteck hervorgekommen ist und hinter der Frau steht. So kann er, ehe sie sich von ihrer Verblüffung erholt hat, dazwischentreten und Martin mit sich fortnehmen. Aber auf der Treppe, die zur Post hinführt, muß er erst einmal anhalten und den Kopf schütteln.

»Großer Gott im Himmel, Martin, du bist aber auch einer! Du bist aber auch einer!«

»Hja«, sagt Martin.

Er will etwas werden

Ahnungslos öffnet Martin die Tür und schiebt sich singend und tanzend ins Zimmer. Wie er merkt, daß der Vater Besuch hat, ist es schon zu spät, sich zurückzuziehen. Ein paar Sekunden steht er unschlüssig da, dann geht er, die Augen groß aufschlagend, auf den weißhaarigen Herrn mit der Brille zu und begrüßt ihn, wie sich's gehört. Der Herr hält die kleine Jungenhand noch ein bißchen fest und fragt mit tiefer Stimme: »Das ist sicher Martin?«

»Ganz recht«, sagt der Vater, »unser Jüngster.«

Und Martin nickt mit dem Kopf: »Hja.« Man sieht ihm nur allzu deutlich an, daß es ihm unbehaglich ist, so Hand in Hand mit dem fremden Herrn dastehen zu müssen.

»Wie alt bist du denn?«

»Vier«, sagt Martin, »ich meine fünf.«

»Was, schon fünf! Dann weißt du sicher auch schon, was du einmal werden willst.«

»Hja.«
»Was willst du denn werden?«
»Och«, sagt Martin, »manche meinen ja, ich sollte Vater werden. Aber ich möchte doch lieber was anderes.«
»Was denn?«
»Ich möchte lieber Schiffbrüchiger werden.«
Da kann der fremde Herr denn doch nicht umhin, gewaltig aus seinem Bauch herauf zu lachen: »Hoho! Nein, so etwas! Hohoho!«
Aber dem Vater verschlägt's den Atem. Schiffbrüchiger . . . Ein leiser Schauder rieselt ihm über den Rücken.

Er interessiert sich für seine Krankheit

»Wartet mal«, sagt die Mutter, »ich glaube, das war in dem Winter, als Martin Lungenentzündung hatte.«
»Au, Mutti, habe ich mal Lungenentzündung gehabt?«
»Du?« sagt Görge. »Du hast doch alles gehabt, was man überhaupt haben kann.«
Aber die Mutter streicht Martin übers Haar und meint, es sei leider sehr schlimm gewesen.
Und der Vater fügt hinzu, sie hätten Nacht für Nacht an seinem Bett gesessen, die Mutter und er.
»Au, erzähl mal! Wie doll war ich denn krank? Mußte ich auch Betäubung kriegen?«
»Man kann wohl behaupten«, sagt der Vater, »daß es auf Tod und Leben ging.«
Die Mutter nickt vor sich hin: »Wißt ihr noch, und dann war es genauso, wie es im Lexikon steht. In der neunten Nacht kam die Krise.«

»Was ist das denn, die Krise? Mutti, was ist das?«
»Die Krise ist, wenn ... wenn ...« Die Mutter blickt den Vater mit ihren dunklen Augen an: »Das mußt du ihm erklären.«
»Die Krise«, sagt der Vater, »die Krise ist der Zeitpunkt, an dem sich's entscheidet, ob der Patient am Leben bleibt oder ob er stirbt.«
»Un wie hat sich's bei mir entscheidet?«

Er löscht einen Brand

Es klingt beinahe wie ein kleines Engelkonzert, das gedämpfte Cembalospiel der Mutter, Görges lullende Blockflöte und der Gesang der andern drei, Christophs, Violas und Martins, die um den runden Tisch herum sitzen. Draußen wird es schon dämmerig. Auf dem Tisch liegt der Adventskranz. Zwei von den vier Kerzen brennen mit stiller Flamme.
Sie singen »Kommet, ihr Hirten ...« Da Martins Stimme immer etwas hinter den andern zurückbleibt, stößt Viola ihn an und macht mit der Hand eine Bewegung, die besagen soll, er möge ein bißchen schneller singen. Aber er schneidet nur, ohne sich in seinem Zeitmaß beirren zu lassen, eine Grimasse zu ihr hinüber. Dann starrt er wieder in die Kerzenflamme und vereint seine hohe, kindliche Stimme, so gut er es versteht, mit dem silbrigen Rauschen des Cembalos, mit den reinen Stimmen der beiden andern und mit dem süßen Gesang der Blockflöte.
Während des nächsten Liedes »Als ich bei meinen Schafen wacht'« bricht er einen kleinen Tannenzweig vom Advents-

kranz ab und hält ihn über die Kerze. Die Nadeln dampfen, glühen und krümmen sich, ein bläuliches Flämmchen erscheint, mit einem Male erfolgt ein schwacher Knall, die Knospe an der Spitze des Zweiges zerspringt. Funken sprühen umher und fallen auf die Tischdecke. Viola tupft sie schnell aus und gibt Martin einen Klaps auf die Hand.
»Wo bleibt Viola denn?« ruft die Mutter vom Cembalo her.
»Ich habe eben nicht aufgepaßt. Entschuldige bitte! Martin treibt hier nämlich dummes Zeug.«
»Gaanich dummes Zeug. Ich mache bloß ein bißchen Weihnachtsgeruch. Viola hat aber auch immer was.«
»Also«, sagt die Mutter, »noch einmal von vorn! Ich glaube, du mußt die Flöte noch ein ganz klein wenig mehr ausziehen, Görge. Sie kommt mir etwas zu hoch vor.«
Diesmal schiebt Martin, nachdem er sich durch einen verstohlenen Seitenblick vergewissert hat, daß Viola gerade nicht hersieht, einen flirrenden Goldfaden vom Adventskranz in die Flamme. Er verbrennt mit grünlichem Gesprühe und löst sich in glühende Tropfen auf. Ein wunderbares Spiel! Vor lauter Eifer vergißt Martin ganz zu singen. Aber da zieht Viola seinen Arm auch schon zurück, nicht eben sanft, und flüstert, er solle das jetzt endlich sein lassen. Martin schüttelt die Hand unwillig ab und fährt fort, sein kleines Feuerwerk zu veranstalten.
»Kinder«, sagt die Mutter, während sie die singende und wiegende Überleitung von der dritten zur vierten Strophe erklingen läßt, »paßt auf: jetzt! Benedicamus domino ...«
Da geschieht es.
Violas krauses Stirnhaar fällt, wie sie sich von neuem gegen den feuerwerkenden Martin wendet, in die Kerzenflamme. Es knistert, ein schnelles Gewaber hüpft über ihren Kopf

und lodert im nächsten Augenblick wie eine Fackel empor. Aber Martin läßt seinen Goldfaden fahren, faßt dahin und dorthin, bläst aus Leibeskräften und schlägt blitzschnell mit seinen bloßen Händen in den Brand, schlägt wiederum zu. Da wischt auch Viola, die erst jetzt begreift, was sich ereignet hat, hastig mit beiden Händen über ihr Haar. Aschenteilchen stäuben umher, die Flammen verschwinden, es ist schon vorüber. Und wie sich über dem linken Ohr noch einmal ein Flämmchen zeigt, drückt Martin, der mit halberhobenen Händen bereitsteht, es sofort aus. Die andern, die aufgesprungen sind – die Mutter mit einem wehen, steigenden Entsetzensschrei –, brauchen nicht mehr einzugreifen.

»Martin hat dich gerettet«, sagt die Mutter mit bebenden Lippen. »Du liebe Zeit, wenn Martin nicht gewesen wäre! Das hast du aber gut gemacht! Zeig mal deine Hände her! Was bist du für ein tapferer Junge! Hast du dich verbrannt?«

Viola kniet nieder und küßt Martin auf beide Backen. Dann nimmt die Mutter ihn auf den Arm und schmiegt ihre Wange an seine Hände: »Wie hast du das nur so schnell gekonnt? Oh, was für ein Glück, Kinder, was für ein Glück!«
»Och, das konnte ich ganz leicht«, sagt Martin. »Wenn Viola auch eine Freche ist, aber daß sie nun aufbrennen sollte, das mochte ich auch nicht so gern. Un denn auch noch eben vor Weihnachten.«

Er gibt sein Urteil ab

Die Mutter verteilt den Schokoladenpudding auf sechs Tellerchen und nimmt es sehr genau. Hier scheint noch etwas zuviel zu sein, während dort und dort noch ein halbes Löffelchen zugegeben werden könnte. Nein, nun ist der erste doch wohl zu schlecht weggekommen. Sie vergleicht und wägt, und alle sehen erwartungsvoll zu. Und langsam läuft ihnen das Wasser im Munde zusammen.
Schließlich fragt die Mutter, mehr sich selbst als die anderen: »So, wer hat nun zuwenig?«
»Alle«, sagt Martin.

Er entdeckt den Weihnachtsstern

Da der Winter mit den funkelnden Sternennächten vor der Tür steht, haben Christoph und Görge sich einen Linsensatz für zwei Mark sechzig kommen lassen und sind allen Ernstes dabei, ein Himmelsfernrohr zu erbauen. Es soll sogar parallaktisch aufgehängt werden. Martin geht einige Tage mit

den Händen in den Taschen um die Arbeitenden herum und fragt sie hin und wieder etwas. Dann zieht er sich in sein Kämmerchen zurück.

»Christoph und Görge«, sagt er eines Abends beim Essen, »glaubt ihr, daß ich hiermit einen Stern erkennen kann?« Er holt, sich auf dem Stuhl zur Seite neigend, eine leere Zwirnrolle aus seiner Tasche, hält sie vors Auge und richtet sie auf die Lampe über dem Tisch.

»Das soll nämlich mein Fernrohr sein.«

»Zeig mal her«, sagt Christoph lachend.

»Und hier habe ich eine Linse vorgemacht. Glaubst du, daß ich da einen Stern mit erkennen kann?«

Christoph blinzelt hindurch. »Natürlich kann man damit

einen Stern erkennen. Alles kann man damit erkennen. Nicht ganz so gut wie mit dem bloßen Auge, aber immerhin.«
Der Vater möchte gern wissen, um was für eine Linse es sich handelt. Christoph reicht ihm die Rolle. Die Linse besteht aus einer kleinen dreieckigen Glasscherbe, die Martin mit Blauköpfen vor die Öffnung der Rolle genagelt hat.
»Das ist ja ein wunderbares Fernrohr«, sagt der Vater, indem er ein Auge zukneift und gleichfalls die Lampe betrachtet. Es rieselt etwas durch ihn hindurch, Rührung, Glück, Dankbarkeit, eine warme und zärtliche Empfindung.
»Glaubst du, daß ich da einen Stern mit erkennen kann?«
»Jeden Stern kannst du damit erkennen. Komm, hier hast du dein Fernrohr wieder.«
Aber die Mutter bittet darum, es auch einmal ausprobieren zu dürfen. Nachdem sie es von allen Seiten bewundert hat, sieht sie hindurch. Dann stellt sie es vorsichtig auf den Tisch, legt die Hände vor ihr Gesicht, zieht sie ein bißchen herab und wirft dem Vater über die Fingerspitzen hinweg einen dunklen, strahlenden Blick zu.
»Kann ich einlich den Mond da auch mit erkennen?« fragt Martin.
Görge wirft ein, heute abend gebe es keinen Mond.
»Aber Sterne?«
»Sterne genug.«
»Dann will ich mal zwei Sterne . . . drei Sterne will ich mal mit mein Fernrohr erkennen.«
Sowie das Abendbrot beendet ist, läuft Martin auf die Terrasse und sucht den Himmel mit seiner Zwirnrolle ab.
Nach einer Viertelstunde schiebt er sich in die Bibliothek und wartet, daß der Vater, der dort die Zeitung liest, einmal aufblickt.

»Na, Martin?«
»Leider kann ich da doch keinen richtigen Stern mit erkennen.«
»Warum denn nicht?«
»Ne. Ich kann nur Pünkte erkennen.«
»So sehen die Sterne eben aus. Wie Punkte.«
»In mein Bilderbuch sehen sie aber gaaanz anders aus. Weißt doch, mit so Zacken herum und so.«
Der Vater denkt, die Bilderbuchmaler täten auch besser, bei der Wahrheit zu bleiben. Nun kann er zusehen, wie er dem armen Martin über die Enttäuschung hinweghilft, die sie verschuldet haben.
»Die gewöhnlichen Sterne sehen tatsächlich wie Punkte aus. Und wenn du durch Christophs und Görges Fernrohr guckst, dann sehen sie immer noch wie Punkte aus. Da hilft nichts. Etwas anderes ist es wohl mit dem Weihnachtsstern. Der hat wohl diesen herrlichen Glanz und die Strahlen und alles.«
»Kann ich den Weihnachtsstern denn mal mit mein Fernrohr erkennen?«
»Ich glaube nicht, Martin. Er scheint in unserer Zeit nicht mehr am Himmel. Ich hab' ihn jedenfalls noch nie gesehen.«
»Wie schaaade.«
Und dann kommt der Abend, an dem Christoph und Görge ihr Fernrohr zum ersten Male im Freien aufstellen, um die Wunder der Himmelswelt zu erforschen. Es ist inzwischen bitterkalt geworden, bald wird Weihnachten sein, der frischgefallene Schnee glitzert im Sternenlicht. Die übrige Familie nimmt, in Mäntel gehüllt, an dem Ereignis Anteil. Aber Christoph und Görge haben vor lauter Leidenschaft nicht einmal ihre Jacken an. Sie wollen versuchen die Monde des Jupiter zu beobachten. So einfach scheint es indessen nicht

zu sein, eines bestimmten Sternes habhaft zu werden. Man darf das Fernrohr nur mit den Fingerspitzen berühren, denn die kleinste Bewegung läßt das tanzende Pünktchen wieder aus dem Sehfeld verschwinden.

»Trampel doch nicht so laut hier herum, Vio!«

»Welcher ist denn der Jupiter?« fragt Martin.

Der Vater führt den Blick des Jungen von einem dunklen Föhrenwipfel zum Gürtel des Orion und von dort über den Aldebaran zu den Plejaden und dann zu dem leuchtenden Stern, der schräg darüber steht.

»Das ist er.«

Martin zieht den Mantel hoch und kramt in seiner Hosentasche herum. Dann setzt er sein Fernrohr an, beugt den Kopf zurück und sucht den Jupiter. Mit einem Male sagt er leise zu sich selbst: »Oh!« Und noch einmal wie erschrocken: »Oh!« Und dann ganz überwältigt: »Oh!«

»Was ist denn?« fragt der Vater.

»Ich erkenne den Weihnachtsstern!« flüstert Martin, ohne die Zwirnrolle von seinem Auge zu nehmen.

»Wirklich? Wie sieht er denn aus?«

»Mit lauter so darum herum aus Gelb und Grün und Golden.«

Da muß der Vater doch auch einmal durch Martins Fernrohr sehen. Und wirklich, es gleißt und schimmert um den Jupiter herum, daß es nur so eine Art hat. Aber der Vater erkennt auch gleich, wie das Feuerwerk zustande kommt. Auf der Glasscherbe sitzt ein fettiger Fingerabdruck über dem andern, und in den zarten Rillen bricht sich der Sternenschein, glänzt auf und versprüht zu farbigen Strahlen.

»Uh, jetzt!« ruft Christoph. »Jetzt hab ich's. Zwei kann man sehen! Zwei Monde! Ganz deutlich!«

Viola hüpft von einem Bein aufs andere.
»Ich auch mal!«
»Erst ich«, sagt Görge. »Du verstehst ja doch nichts davon.«
Der Vater legt das Fernrohr wieder in Martins ausgestreckte Hand und sagt, daß er noch nie in seinem Leben einen so zauberhaften Stern erblickt habe wie diesen. »Komm, Mutti soll sich auch einmal daran freuen.«
»Haben Christoph und Görge ihn auch erkannt?«
»Nein. Das Fernrohr von Christoph und Görge ist nur für gewöhnliche Sterne bestimmt.«
»Wen sein Fernrohr findest du besser, meins oder Christoph und Görge seins?«
»Ein besseres Fernrohr als das, womit man den Weihnachtsstern erblicken kann, dürfte es wohl nirgends auf der Welt geben.«
»Oh!« sagt Martin.

Er trägt eine Armbanduhr

Martins schönstes Weihnachtsgeschenk ist eine kleine Armbanduhr, die Viola für ihn gemacht hat. Sie besteht aus einer bezifferten Pappscheibe mit aufgemalten Zeigern und aus einem schwarzen Samtband, das mit zwei Druckknöpfen geschlossen werden kann. Eigentlich war sie nur als Zugabe gedacht, aber Martin liebt sie über alles. Die sonstigen Geschenke bedeuten ihm so gut wie nichts daneben. Jedem, der zu Besuch kommt, hält er voller Stolz sein Handgelenk mit der Uhr entgegen, und jeder bewundert sie nach Gebühr. Aber am dritten Tag betritt Frau Ihlpohl mit ihrem Töchterchen Rita die Weihnachtsstube. Der Vater legt das Buch, in

dem er gerade liest, beiseite und macht gute Miene zum bösen Spiel: »Sieh da, Frau Ihlpohl!«
»Hm«, sagt Rita durch die Nase, wie Martin ihr seine Papp-uhr zeigt. Dann zieht sie die linke Hand aus ihrem Muff, wirft einen Blick auf die kostbare Uhr, die mit einem geflochtenen weißen Lederriemen und einer silbernen Schnalle an ihrem Gelenk befestigt ist, hebt, nachdem sie die Hand wieder in den Muff geschoben hat, die Schultern hoch und wendet ihren Kopf hin und her: »Wieviel Uhr ist es denn bei dir?« Sie kann den Mund kaum öffnen vor Verachtung.
Die Zeiger von Martins Uhr stehen, wie seit drei Tagen, auf fünf Minuten nach drei.
»Hm. Bei Leuten mit einer richtigen Uhr ist es jetzt halb sechs.«
Martin sieht sich nach dem Vater um, der mit Frau Ihlpohl am Gabentisch der Kinder steht.
»Stell deine Uhr doch mal richtig!« höhnt Rita. »Los, stell sie doch mal richtig! Du kannst doch nicht mit einer falsch gehenden Uhr herumlaufen.«
»Ne, zum Stellen is meine Uhr weiter nich«, sagt Martin leise und sieht sich wieder nach dem Vater um.
»Hm, schöne Uhr! Geht ja gar nicht! Hm.«
»Das ist eine ganz schöne Uhr. Hat Vio selbst gemacht.«
»Schöne Uhr, schöne Uhr! Geht ja gar nicht!«
Endlich wendet sich der Vater Martin zu. »Entschuldigen Sie, Frau Ihlpohl, aber ich muß hier eben mal etwas zu retten versuchen. – Weißt du, Martin . . . Komm mal her, Martin! Weißt du, es gibt zwei Arten von Uhren. Die einen sind die wunderbaren und die anderen die schrecklichen. Deine Uhr gehört glücklicherweise zu den wunderbaren. Auf ihr ist es fünf Minuten nach drei. Wenn ich mir wün-

schen dürfte, wieviel Uhr es immer sein sollte, wüßte ich keine bessere Zeit als fünf Minuten nach drei. Dann ist die Schule schon vorüber, man hat schon zu Mittag gegessen, die Schularbeiten – höm – sind auch erledigt, und nun liegt der Nachmittag vor einem mit allen Spielen und Abenteuern und Herrlichkeiten. Man braucht noch nicht an das Zubettgehen zu denken. Das Leben ist so schön wie niemals sonst. Man hat keine Sorgen und nichts. Es ist die Zeit der Freiheit und des Glücks. Fünf Minuten nach drei. Und gerade diese Stunde zeigt deine Uhr an. Was willst du mehr?«

»Ja, aber Rita sagt, sie gingte ja nich.«

»Aber Martin, Junge, das ist ja gerade das Allerbeste an ihr. Die Uhren, die gehen, das sind ja die schrecklichsten Uhren, die es gibt. Weißt du, was ein Tyrann ist?«

»Irgend so ein Böser.«

»Ein Tyrann ist ein Mann, der allen anderen Menschen seinen Willen aufzwingt. Sie dürfen nicht mehr tun und lassen, die anderen, was ihnen behagt, sondern müssen sich in allem und jedem nach den Wünschen des Tyrannen richten. Siehst du, so ein Tyrann ist eine Uhr, die geht. ›Was‹, sagt sie, ›du möchtest gern noch ein bißchen schlafen? Das gibt es nicht. Aufstehen! Es ist sieben Uhr! – Was, du möchtest gern noch ein bißchen spielen, das gibt es nicht. Tornister packen! Du mußt in die Schule. Es geht auf neun. – Was, du möchtest gern noch ein bißchen mit deinen Freunden im Schiffgraben herumwaten? Das gibt es nicht. Mach, daß du nach Hause kommst! Es ist Mittagessenszeit.‹ – Und so reiht sich eins ans andere, den ganzen Tag, bis zum Abend. Mit den Erwachsenen springt die Uhr noch erbarmungsloser um. Jede Arbeit und jedes Vergnügen hat sich genauestens, bis auf die Minute, ja manchmal sogar bis auf

die Sekunde, nach der Uhr zu richten. Seit die Uhr erfunden worden ist, die richtig gehende Uhr, gibt es keine freien Menschen mehr, sondern nur noch Sklaven. Vielleicht verstehst du meine Worte noch nicht. Aber du wirst ihre schlimme Wahrheit schon bald erfahren. Hör zu, Martin!

Die Uhr hat alle unter ihre Gewalt gezwungen, die Armen wie die Reichen, die Arbeiter wie die Könige, alle, alle. Von den höchsten Stellen der Städte, oben von den Kirchtürmen, blicken die Uhren drohend über die Häuser und über die Straßen hin, bei Tag und bei Nacht. Dort, wo die meisten Menschen vorübergehen, an den Straßenkreuzungen und auf den Plätzen, stehen sie auf Wache. Sie haben sich in den Arbeitsräumen und Kontoren, in den Wohnzimmern und Schlafstuben eingenistet, sie sind sogar in die Hosen- und Westentaschen der Männer und in die Handtäschchen der Frauen gekrochen, ja neuerdings ringeln sie sich vollends wie Schlangen um die Handgelenke von jung und alt, damit sie die Menschen noch besser hetzen und quälen können. Martin, Martin, sei froh, daß du keine von den schrecklichen Uhren besitzest! Viola hat schon gewußt, was sie tat, als sie dir keine richtig gehende, sondern diese wunderbare schenkte. Ich wäre froh, wenn ich auch so eine hätte. Alle Menschen wären froher und glücklicher, viel glücklicher, wenn es nur solche Uhren gäbe wie deine. Wer eine Uhr besitzt, auf der es immer fünf Minuten nach drei ist, kann spielen und frei sein. Und nur, wer spielen und frei sein kann, ist ein Mensch. Die anderen sind Sklaven und dumpfe Tiere, nein, in gewisser Beziehung weniger als Tiere. Glaube mir's, Martin! Glaub mir's wirklich!«
»Jaha?« sagt Martin. Er spricht das Wort ein wenig fragend aus, mit einer kleinen ungläubigen Hebung am Schluß. Dann öffnet er langsam die Druckknöpfe des Armbands und legt die Pappuhr auf den Gabentisch, zwischen das Zentimetermaß und den Kompaß, ganz vorsichtig. Und dann sieht er den Vater mit seinen großen Augen an. Er versucht zu lächeln, aber die Augen füllen sich unaufhaltsam mit Tränen.

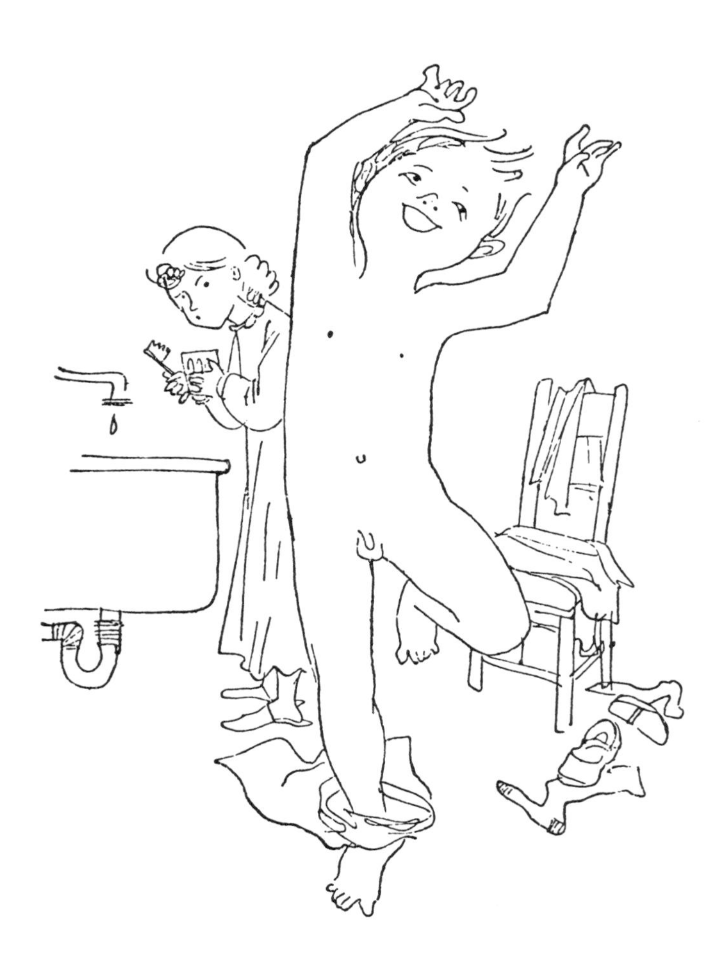

Er hüpft auf einem Bein umher

Wie der Vater eines Abends im Vorbeigehen einen verstohlenen Blick ins Badezimmer wirft, sieht er, daß Martin auf einem Bein darin herumhüpft, einen Strumpf und das Unterhöschen, das noch an seinem Fuß hängt, hinter sich

herschleppend. Viola putzt sich die Zähne und macht sich mit ihren Augen über ihn lustig.
»Viola«, sagt Martin und hüpft mit kleinen Sätzen weiter. »Viooo!«
Viola spuckt ihr Mundwasser aus: »Ja?«
»Vio, das Leben ist sooo schön!«
Der Vater muß in sich hineinlachen, ob er will oder nicht. Aber gleichzeitig fühlt er, wie sich tief in seiner Brust eine unsagbare Traurigkeit erhebt. Du unschuldiges Engelchen, denkt er, indem er die Tür vorsichtig zudrückt, wie wird das Leben dir noch mitspielen! Und ich kann dich nicht davor bewahren, ich nicht und keiner. All die Qual und Schuld, die dir bereitet ist in der Welt, ich kann dich nicht davor bewahren, so liebend gern ich es auch möchte. Mußt du denn schuldig werden? Gibt es denn gar keine Möglichkeit, dich im Stande der seligen Freude zu erhalten? Nein, es gibt keine. Es . . . es darf ja auch keine geben, denn der Sinn des Lebens und also auch deines Lebens ist doch wohl, in die Irre zu gehen, der tödlichen Verlassenheit des Menschen innezuwerden, dich zu verlieren, dich zu finden, dich wieder zu verlieren und wieder und wieder, bis du das Ewige, bis du den Ewigen gefunden hast.

ISABEL

Geschichten um eine Mutter

Wie sie den Kanon von den Schiffen auf den sieben Meeren zu Ende gesungen haben, meint Isabel, seit Christoph und Görge wieder dabei seien mit ihren genauen und reinen Stimmen, klänge der Gesang noch einmal so schön.
Sie sitzen um den runden Tisch, über dem die Lampe brennt, Isabel, die beiden Studenten Christoph und Görge, die in den Ferien nach Hause gekommen sind, die siebzehnjährige Viola und Martin, der Ostern konfirmiert wird. Jeder bemalt eine Tischkarte mit Noten, durch die bei dem morgigen Fest die Männlein und Weiblein auf eine lustige Weise einander zugesellt werden sollen.
»Außerdem«, sagt Viola, »fallen ihnen viel aufregendere Melodien ein als den Erfindern der Kanöne, oder wie das nun heißt.«
»Oh, oh, oh!« seufzt Christoph, ohne von seiner Arbeit aufzusehen. »Und so etwas will drei Jahre lateinischen Unterricht gehabt haben.«
Isabel sagt, es hieße Kanons. »Kinder, ihr hättet . . .«
»Gar nicht wahr.«
»Wieso?«
»Es heißt Kanone oder Kanones.«
»Meinethalben. Aber Viola und ich sagen Kanons. – Ihr hättet Christoph und Görge einmal hören sollen, als sie fünf Jahre alt waren! Die reinsten Wunderkinder. Wißt ihr das noch, Christoph und Görge?«
»Nee. Was denn?«
»Da saßen wir drei im April unter der Hängebirke und sangen wahrhaftig eine Chaconne, aus dem Stegreif. Und die Birke war unser Grundbaß.«

Martin unterbricht sie. Was das denn sei, eine Chaconne?
»Eine Chaconne ist, wenn . . . also die tiefe Stimme . . . Erkläre du es mal, Christoph! Du kannst es wahrscheinlich besser als ich.«
»Eine Chaconne ist ein Musikstück, in dem die Oberstimmen über einem Basso ostinato immer neue Variationen erklingen lassen.«
»Als wenn ich wüßte«, sagt Martin, »was Basso obspinato bedeutet.«
»Ein Basso obspinato ist ein fraglicher Spinatbaß.«
»Siehst du, Mutti, so geht es einem immer mit Christoph und Görge. Nie kriegt man eine richtige Antwort. – Wer hat denn das Lineal?«
Isabel schiebt es ihm hin und erinnert Christoph daran, daß er auch einmal ein Junge war, dem man alles mögliche auseinandersetzen mußte. »Also bitte!«
»Ostinato heißt hartnäckig. Ein Basso ostinato ist sohin eine hartnäckige, eine immer wiederkehrende Tonfolge im Baß. Und darüber finden dann die Variationen statt. Und das Ganze nennt man eine Chaconne.«
»Und so etwas Schweres konntet ihr singen, Mutti?«
»Hauptsächlich Christoph und Görge. Ich selbst nur so am Rande. Sie machten es ganz wunderbar. Das heißt, eine richtige Chaconne war es wohl nicht. Der Gesang hielt sich nicht an eine Tonart, auch nicht an die üblichen Tonstufen. Es war mehr ein Naturereignis. Wenn wir . . .«
Aber Martin möchte erst noch wissen, wieso denn die Hängebirke der Basso ostinato gewesen sei. Eine Birke könne doch nicht singen.
Isabel rückt ihren Stuhl etwas zurück und legt die linke Hand auf ihr Haar. »Doch, die Birke konnte singen. Und

wie sie singen konnte! Wir saßen unter den hängenden Zweigen wie in einem Zelt aus lichtgrünen Schleiern, die bis auf die Erde herabhingen. Die Zweige waren dunkle Fäden, die Blätter, die sich gerade ein bißchen entfaltet hatten, sahen aus wie durchsichtige Knötchen, und dazwischen schwebten die tausend goldenen Kätzchen. Und von Kätzchen zu Kätzchen flogen unzählige Bienen und hielten sich in schaukelnder Bewegung und summten. Der ganze Baum war vom Gesang der Bienen durchsummt, von diesem nie endenden, immer wechselnden Ton, der sich bald etwas dämpfte, bald nahezu verstummte und bald wieder aufbrauste. Dann blieb er eine Weile unverändert wie ein langer, langer Orgelton, bis er von neuem abzusinken begann. Von Zeit zu Zeit dröhnte eine Hummel herbei und brachte alles durcheinander. Wenn sie wieder fort war, merkten wir erst, wie weich der Bienengesang ertönte. An einigen Stellen konnten wir auch hinter dem Schleier die Schäfchenwolken erkennen, die sich in einem großen Bogen über den Himmel schwangen. Wo die Sonne durchschien, glänzten sie silbrig auf.«

Viola ist ganz überwältigt: »Wie schön, Mutti!«

»Ach, das Schönste kommt erst noch: Christoph und Görges Gesang. Ich weiß nicht mehr, wie es eigentlich anfing. Aber sie summten unversehens mit. Erst in derselben Tonlage wie die Bienen, dann eine Terz höher und dann in einer Art von Melodie über der steigenden und fallenden Grundlinie und schließlich in zwei getrennt und frei geführten Variationen, aber immer nur so summend und immer im Einklang mit den wogenden Bienen. Es hörte sich an wie der Gesang von zwei kleinen Windharfen. Ich selbst wagte kaum mitzutun, ich blieb immer dicht bei dem

Bienengesumme. Aber die Stimmen von Christoph und Görge bewegten sich so leicht und sicher, als fühlten sie schon im voraus, wohin der Ton der Bienen sich wenden würde. Sie waren so eins mit den Bienen und mit der Birke, sie waren gleichsam ein Teil der Natur. Ich glaube, etwas Derartiges ist nur bei Kindern möglich.«
»Och, warum?« sagt Görge mit seiner tiefen Stimme.
»Weil man später zu viel ... dann ist der Verstand zu sehr beteiligt, und dann geht es nicht. Du mußt bedenken, daß die Veränderungen des Bienengesummes doch nicht in Tonstufen erfolgten, sondern nur so gleitend, nur so ... so ..., wie es in der richtigen Musik überhaupt nicht vorkommt, mit unmerklichen Übergängen und feinsten Schattierungen.«
»Trotzdem.«
Genießerisch schlingt Viola einen Violinschlüssel um die g-Linie und sagt, es sei schade, daß jetzt keine Birken blühten, sonst müßten sie es gleich morgen früh einmal ausprobieren.
»Kinder, ich habe einen Gedanken!« Isabel steht auf, stellt sich hinter ihren Stuhl und stützt sich auf die Lehne. »Wißt ihr was? Wir lassen den Staubsauger laufen. Das klingt zwar nicht so schön und weich wie das Bienengesumme, ist aber doch etwas Ähnliches. Auf der Diele, damit es nicht so laut wird.«
Christoph fragt, ob der Fön nicht einen besseren Ton hätte.
»Beides, Kinder. Den Staubsauger draußen auf der Diele und hier im Zimmer den Fön. Martin holt den Staubsauger und Viola den Fön. Los!«
Nach ein paar Minuten ist das Haus erfüllt vom surrenden

Geheul des Staubsaugers und vom hohen Singen des Föns, das Viola, indem sie ihre Hand vor dem Mundstück hin und her bewegt, an- und abschwellen läßt. Sogleich versuchen Christoph und Görge, dem Ton zu folgen. Manch-

mal gelingt es, aber meist geraten sie mit ihren Stimmen durcheinander, suchen hinauf und hinunter und verwirren sich immer mehr. Auf der Diele heult unbeirrbar der Staubsauger.
Viola und Martin fallen vor Lachen fast von ihren Stühlen, und Isabel tanzt im Zimmer herum. »Seht ihr wohl! Seht ihr wohl!«
Sie wirft sich auf einen Stuhl und hält sich die Ohren zu. »Ihr könnt es nicht mehr. Katzenmusik, Katzenmusik!«
Da geht die Tür auf, und Andreas kommt herein. »Also, ein Staubsauger ist ein notwendiges Übel. Ich bin nicht ohne Einsicht. Und Gesang muß wohl auch zuweilen sein. Aber beides zugleich ... Was, einen Fön habt ihr auch noch eingeschaltet?«
»Lieber Andreas«, lacht Isabel, »wenn du ein Dichter wärest, wüßtest du sofort, daß dies ... stell einmal ab, Viola! ... daß dies kein Staubsauger und kein Fön ist, sondern eine singende Birke.«
»Gut, daß du es sagst. Ich hätte es sonst mehr für einen krähenden Essigbaum gehalten. Aber Birke oder Essigbaum, es fördert meine Arbeit nicht so besonders, weißt du.«
»Ach, man muß nicht immer und immer an die Arbeit denken.«
»Schön, dann will ich mal an die Stromrechnung denken.«
»Armer Andreas«, sagt Isabel.

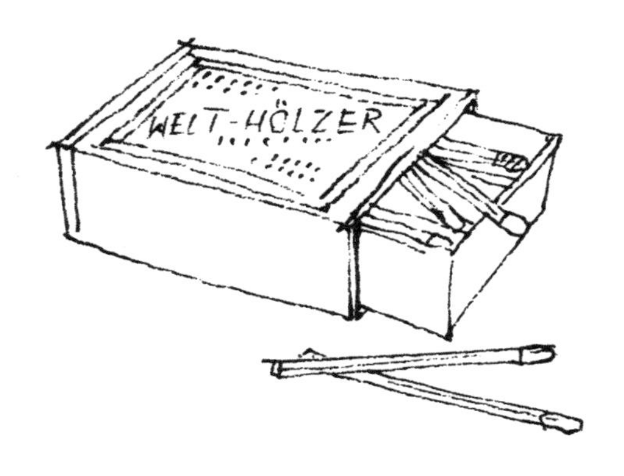

Sie sucht die Streichhölzer

»Lieber Andreas, kannst du nicht einmal darüber nachdenken, wo Frau Schlobohm wohl die Streichhölzer gelassen hat?«
»Liebe Isabel, wie wäre es denn, wenn ihr die Schachtel ein für allemal an dieselbe Stelle legtet, Frau Schlobohm, Viola und du?«
»Wir legen sie doch immer an dieselbe Stelle, nur jeder an eine andere.«

Sie spart

»Zu gräßlich«, seufzt Isabel, »daß ich einen Hut aufsetzen muß. Muß ich eigentlich einen Hut aufsetzen?«
Andreas meint, ob es denn wirklich nötig sei, daß sie schon wieder nach Bremen führe.
»Also, dann brauche ich auch einen ganzen Monat nichts mehr einzukaufen, gar nichts mehr.«
»Wir wollten doch sparen.«

»Wollen wir auch, Andreas, unbedingt.«
»Und wir waren uns doch darüber einig, daß wir bei den Kleinigkeiten anfangen müßten.«
»Also dann fahre ich einfach so, wie ich bin. Wenn ich keinen Hut trage, dann spare ich zum Beispiel schon einen Hut.«
»Darf ich einmal deine Besorgungsliste sehen?«
»Hier. Ich habe aber . . .«
»Ach, ich geschlagener Mann!«
»Ich habe aber nur das Allernötigste aufgeschrieben.«
»Nun wollen wir einmal sehen, was von dem Allernötigsten das Allerallernötigste ist. Das kaufst du dann ein.«
»Aber ohne Hut.«
»Ich habe keinen Augenblick angenommen, daß ich dich zu einem Hut würde überreden können.«
Isabel fährt also in die Stadt und kommt kurz vor dem Abendessen zurück. Wie die Familie sich zu Tisch setzt, lehnt an jeder Teetasse ein Marzipantier und an den Tassen von Isabel und Andreas je ein Herz, das mit Schokolade und kandierten Früchten verziert ist. Martin fällt Isabel um den Hals, und auch die Großen bekunden ihre Freude. Aber Andreas sitzt schweigend da und blinzelt vor sich hin.
Mit einem halb schuldbewußten, halb verführerischen Aufblick ihrer strahlenden Augen wendet Isabel sich ihm zu: »Ich dachte, weil wir doch nun so schrecklich sparen müssen und weil wir keinen Kuchen und nichts mehr essen dürfen, und da standen diese niedlichen Tiere und die Herzen im Schaufenster, und da habe ich für jeden eins gekauft, zum Abschied. Und gekostet haben sie fast gar nichts.«

Während Isabel ein Wäschestück nach dem andern einsprengt, zusammenwickelt und in den Korb legt, rekelt Martin sich bald so, bald so über sein Aufsatzheft und stöhnt in sich hinein.

»Wenn ich dir so zusehe«, sagt Isabel, »wie du dich mit deinen Schularbeiten hast, dann kann ich nur still in mich hinein den Kopf schütteln.«

Martin reckt sich gähnend und sinkt dann in sich zusammen. »Du brauchst auch keinen Aufsatz über ›Wilhelm Tell‹ zu schreiben. Weißt du nicht ein anderes Wort für ›hinterlistig‹?«

»Warum denn? ›Hinterlistig‹ klingt doch ganz hübsch.«

»Ich habe es aber gerade kurz vorher gebraucht.«

»Dann schreib doch ›hintertückisch‹.«

»Du meinst wohl ›heimtückisch‹?«

»›Hintertückisch‹ ist doch viel besser, viel anschaulicher. Man sieht es doch so richtig, so hintertückisch, nicht wahr?«

»So'ne Ausdrücke dürfen wir aber im deutschen Aufsatz nicht gebrauchen. Du hast immer so komische Ausdrücke.«

»Komische Ausdrücke? Ich? Jetzt ist aber das letzte Krümchen Mitleid mit dir, das noch in meinem Herzen gehockt hat, ausgestorben.«

»Oder so altmodische. Das dürfen wir wirklich nicht schreiben, ›hintertückisch‹.«

»Ich spreche ein ganz natürliches, heutzutagiges Deutsch. Aber ihr in eurer Schule, ihr watet immer nur in ausgetretenen Gleisen herum.«

Sie weiß es besser

»Ein elendes Wetter!« schimpft Görge, wie er zur Haustür hereinkommt und die Nässe aus seinem Haar schüttelt. Da er neunzehn Jahre alt ist, kann ihn keine Macht der Welt dazu bringen, einen Hut aufzusetzen. »Regen, Regen und immer wieder Regen! Man weiß schon gar nicht mehr, wie die Sonne aussieht.«
Isabel meint, augenblicklich regne es aber nicht, es schneie.
»Das läuft im März auf dasselbe hinaus: Man wird naß.«
»Lieber Görge«, sagt Isabel, »das läuft nicht auf dasselbe hinaus. Regen besteht aus Wasser. Wenn es aber schneit, dann fällt etwas anderes vom Himmel: Licht.«

Sie spielt zu einer Hochzeit auf

Auf dem Cembalo, vor dem Isabel sitzt, steht ein großer Hainbuchenzweig in einem Krug. Die Blüten, die gestern noch wie Haselkätzchen aussahen, haben sich über Nacht gelockert und geöffnet und gleichen nun, wie sie schwebend in sich schwingen, winzigen Laternen. Sie bestehen aus grünsilbrigen gewölbten Blättchen, die sich, eins dicht unter dem andern, an drei Seiten der hängenden Stengel herunterziehen und kleiner und kleiner werden, bis sie sich unten zu einer gerundeten Spitze zusammenschließen. Am Rande ist jedes rötlich verfärbt. Und rötlich sind auch, zuweilen zu Lila verblaßt, die Staubgefäße, die zwischen ihnen hervorleuchten.
Mit behutsamen Fingern spielt Isabel alte Tänze und Lieder, einen »Cottillion«, einen »Englischen Jäger Tantz«,

eine »Bauern-Gigue« und das selige Lied aus der Shakespearezeit von den »Green Sleeves«. Das morgendliche Sonnenlicht flutet durch den Hainbuchenzweig. Und immer, wenn in der Begleitung die tieferen Töne erklingen, die das zarte Instrument ein wenig erbeben lassen, stäuben aus den Blütenlaternen Wölkchen goldenen Staubes im Rhythmus der Melodie hernieder.

Es ist ein berückendes Bild: die spielende Isabel, die geneigten Hauptes das Cembalo erklirren und aufrauschen läßt, der sonnendurchflirrte Zweig und die lichten Goldwölkchen da und dort, die einen Augenblick für sich sind und sich dann im Sinken zu einem Hauch verflüchten.

Andreas, der auf den Zehenspitzen ins Zimmer geschlichen ist, bleibt denn auch an der Tür stehen und rührt sich nicht. Erst wie Isabel sich umwendet, als fühle sie seine Nähe, geht er zu ihr hin und sagt, der Zweig habe sich gewiß nicht träumen lassen, daß er seine Hochzeit einmal unter den Klängen einer so glitzernden Musik feiern werde.

»Wieso feiert er denn seine Hochzeit?«

»Der Staub, der sich während deines Spiels von den männlichen Blüten löst, befruchtet doch die weiblichen.«

»Und wo sind die weiblichen?«

»Hier zum Beispiel.« Andreas zeigt auf eine Zweigspitze, an der zwischen den Knospen eine unscheinbare Traube aus blassen Blüten hängt.

»Siehst du die roten Fäden unter den aufgebogenen Blättchen? Das sind die Narben, die sich nach der Bestäubung sehnen. Und wenn du spielst und der Goldstaub auf die Narben weht, hat der Zweig seine Hochzeit. Oder wie soll man es nennen?«

»Oh, daran habe ich nicht gedacht. Du, das ist aber doch

etwas Wunderbares und Geheimnisvolles und ... und ganz Wunderbares.«

»Das ist es.«

»Und ich habe einfach so drauflosgeklimpert.«

»Du hast eine heitere und anmutige Hochzeitsmusik gemacht.«

»Aber, Andreas, der Zweig ist ja abgeschnitten! Es ist ja alles umsonst, der Goldstaub und die Sehnsucht und alles.

In ein paar Tagen verwelkt der Zweig ja. Nein, du darfst jetzt nicht lächeln! Ich finde es ganz schrecklich traurig. Erst sieht es so schön aus und ist so geheimnisvoll, und dann hat es überhaupt keinen Sinn. Und wir sind schuld daran, weil wir den Zweig abgeschnitten haben. Wir wollten ein bißchen Schönheit in unser Zimmer bringen, und nun haben wir etwas Bedrückendes hereingetragen. Wenn man es bedenkt, kann einem ganz bange werden. Ach, Andreas, warum geht es denn so zu auf der Welt?«

Andreas setzt sich neben sie auf die Cembalobank. »Weil diese Welt nicht mehr heil ist, weil sie verloren ist mitsamt den Menschen, wenn sie sich selbst überlassen bleibt. Sieh mal, genaugenommen können wir Menschen nichts tun, nicht das geringste, das nicht auf irgendeine Weise mit dem Tode in Beziehung stünde. Ob wir nun versuchen, ein bißchen Schönheit in unser Zimmer zu tragen, oder ob wir ein Haus bauen oder ob wir uns lieben, wie Mann und Frau sich lieben: Immer lebt das eine vom Tode des andern. Diese ganze Welt lebt von der Vergänglichkeit.«

Isabel lehnt sich leise an ihn und sagt, sie glaube zu wissen, wie er es meine. Nach einiger Zeit tupft sie mit ihrem Zeigefinger auf die Tasten. Ein Ton folgt auf den andern, sie bilden eine getragene Melodie. Und dann fällt Isabel mit verschleierter Stimme ein:

»Wenn mir am allerbängsten
wird um das Herze sein,
so reiß mich aus den Ängsten
kraft deiner Angst und Pein . . .«

Der Goldduft sinkt auf die weiblichen Blüten. Die Sonne scheint.

Niemand ist ohne Fehler. Aber es wäre Isabel doch lieber, Frau Schlobohm hätte einen anderen Fehler als gerade diesen. Sie läßt nämlich jedesmal, wenn sie anfängt, etwas zu erzählen, die Arbeit ruhen. Beides zugleich zu betreiben, zu sprechen und zu wirken, ist ihr nicht gegeben. Isabel wird immer ganz kribbelig dabei. Besonders dann, wenn es, wie heute, mit der Küchenarbeit eilt. Das Essen soll heute pünktlich auf dem Tisch stehen, weil Frau Schlobohm hinterher noch, ehe sie nach Hause geht, das Badezimmer in Ordnung bringen muß.
»Nun hätte mein Mann einmal Ehre einlegen können vor das ganze Dorf . . .« Frau Schlobohms Hände, die mit dem Abschrappen von Schwarzwurzeln beschäftigt sind, sinken in die Schüssel, ». . . aber da hat er keinen Silinder.«
Isabel wirft, während sie das Fleisch für die Klößchen durch den Wolf dreht, einen schnellen Blick auf die Uhr. »Ich glaube, Frau Schlobohm, wir müssen uns beide ein bißchen heranhalten, sonst werden wir nicht zur Zeit fertig.«
Eine Weile ist nur das Kratzen des Messers auf den Schwarzwurzeln und das leise Quietschen des Fleischwolfs zu hören. Dann verstummt das Kratzen. »Er sollte ja zusammen mit Bahnhofskück die Harfe vor Seekamps Sarg hertragen.« Frau Schlobohm sagt »Haafe« und »Saach«. »So etwas Wunner-wunnerschönes wie diese Harfe von Tannengrün und dunkelrote Rosen mit Schleife haben Sie auch noch nicht gesehen. So hoch mindestens. Und nun sollte er sie mit Bahnhofskück vor den Sarg hertragen, wie es in der Stadt Mode ist. Weil der Verstorbene doch Ehrenvorsitzender von den Männergesangverein ›Concordia‹ war.

Aber wie kann er es denn, wo er keinen Silinder zu eigen hat? Ohne Silinder wollen sie ihm ja nicht lassen.«
Mit einer schnellen Bewegung ihres Unterarms streicht Isabel sich das Haar aus der Stirn. »Wie weit sind Sie denn? Ich nehme Ihnen gleich die Hälfte ab, wenn ich hier mit durch bin. Und wegen des Zylinders brauchen Sie sich keine Gedanken zu machen. Ihr Mann kann ja den Zylinder von meinem Vater haben. Die Schachtel muß irgendwo auf dem Boden stehen. Ich suche sie nachher heraus. Wenn Ihr Mann zum Trauerhaus geht, kommt er hier vorbei und setzt ihn auf. Ganz einfach.«
»Da wird er sich aber zu freuen. Sie sollen auch vielmals bedankt sein. Da wird er sich aber ganz furchtbar zu freuen.«
»Und nun wollen wir einmal sehen, daß wir fertig werden.«
Isabel dreht, Frau Schlobohm schrappt. Das Schrappen dauert jedoch nicht lange.
»Was Ihr Vater war, der hatte ja eine stattliche Figur. Ich meine, ob der Silinder meinem Mann wohl paßt. Sein Kopf ist ja man etwas spärlich.«
»Das wollen wir schon hinkriegen, Frau Schlobohm. Mit einer Einlage oder so.«
»Meinen Sie?«
»Jaja, das hilft sich schon. Und jetzt müssen wir vor allen Dingen an das Essen denken.«
Schrapp, schrapp ...

Am Nachmittag erweist es sich, daß Herrn Schlobohms Kopf doch noch um einige Grade »spärlicher« ist, als Isabel sich's vorgestellt hat. Auch eine dreifache Einlage

aus Zeitungspapier hindert den Zylinder nicht, auf Herrn Schlobohms Ohren zu rutschen.
»Jetzt versuchen wir es einmal ganz anders«, meint Isabel. »Wir füllen ihn mit so viel Sachen aus der Plünnenkiste aus, daß er einfach nicht mehr rutschen kann. Was halten Sie davon? Keine Sorge, jedes Stück ist sauber gewaschen.«
Herr Schlobohm erklärt sich mit allem einverstanden. Er muß den Zylinder aufsetzen, koste es, was es wolle.
So stopft Isabel also zuerst eine zusammengeknüllte Unterhose hinein, dann Martins alten Schlafanzug und dann einige Strümpfe. Darüber breitet sie ein ausgefranstes Taschentuch, das sie rundherum einsteckt wie ein Bettuch. »So, jetzt muß es gehen.« Sie stülpt Herrn Schlobohm den Zylinder mit einem gewandten Schwung auf den Kopf. »Lassen Sie sich einmal betrachten! Was habe ich gesagt? Er paßt Ihnen wie angegossen. Wollen Sie einen Blick in den Spiegel werfen? Hier.«
Der Zylinder kann zwar nicht mehr über die Ohren rutschen, sitzt aber so lose, daß Herr Schlobohm den Kopf nicht zu bewegen wagt. Mit steifem Hals und starrem Blick öffnet er die Haustür und schreitet langsam durch den Garten der Straße zu. Ein Glück, daß es windstill ist!

Wie Frau Schlobohm gegen Abend den Zylinder zurückbringt, sieht Isabel gleich, daß etwas Unangenehmes vorgefallen sein muß.
»Na, Frau Schlobohm, was . . .?«
Aber da fängt Frau Schlobohm auch schon an zu weinen. Mit der einen Hand hält sie Isabel den Zylinder nebst Inhalt hin, mit der andern versucht sie die Tränen abzuwischen.

Es dauert eine geraume Zeit, bis Isabel sie so weit beruhigt hat, daß sie berichten kann, was geschehen ist.
Natürlich hatte sie der Beerdigung beigewohnt, sie wollte doch ihren Mann sehen, wie er die Harfe trug. »Er stand ja mit Bahnhofskück vor dem Trauerhaus. Ich wunderte mich schon, daß er so besonders ernst« – Frau Schlobohm sagt »bisonders eerns« – »in seinen Gesicht war. Aber ich dachte, es käme von die Trauer um seinen Ehrenvorsitzenden. Dabei begab es sich in Wirklichkeit von wegen dem Silinder, weil er, als nun der Sarg herausgetragen und auf den Leichenwagen geschoben wurde, da entblößte er ja sein Haupt wie alle andern auch, und dann setzte er den Silinder mit so einem verdeubelten Aweck wieder auf, daß ich mich nur erstaunen konnte. Ich wußte das alles ja nicht, was er da mit sich auszustehen hatte. Und dann ging's los. Sie hoben ihre Harfe auf mit die große weiße Schleife und schritten vor den Sarg einher, mein Mann und Bahnhofskück. Die Musik spielte vorneweg, und dann kam mein Mann mit die Harfe. Ich ordnete mich in den Zug ein und folgte nach. Und als sie dann bei Bäcker Bötjer um die Ecke bogen, konnte ich meinen Mann so richtig erblicken. Und was meinen Sie ...?« Frau Schlobohm läßt den Kopf auf die rechte Schulter sinken und fängt wieder an zu weinen.
»Nicht, nicht!« sagt Isabel und legt den Arm um sie.
»Und was meinen Sie, da hang bei meinem Mann hinten aus den Silinder ein Strumpf heraus und baumelte über seinen Rücken, rot mit weißen Ringeln.«
»Frau Schlobohm«, ruft Isabel, »das ist ja wohl nicht möglich! Den hat Viola einmal zu Fastnacht angehabt.«
»Ich denke, ich soll in die Erde versinken. Darum hatten

die Leute mich auch, wo wir an vorbeikamen, so dwarsäugig angesehen.«

»Und was haben Sie da um Himmels willen gemacht?«

»Erst wollte ich ja nach Hause gehen vor Scham und Schande. Aber dann half es ja nichts, es half ja nichts und half ja nichts, dann bin ich an den Trauerzug entlanggeeilt und an den Leichenwagen vorbei und habe den Strumpf mit einem Rupps herausgezogen.«

»Gott sei Dank!«
»Nein, gar nicht. Es kam gleich noch einer hinterher, ein hellblauer mit zwei schlicht, zwei kraus.«
»Christophs Skisocke«, flüstert Isabel händeringend.
»Und was mein Mann zu mir sagte, kann ich Ihnen gar nicht anvertrauen. Er wäre beinahe exemplarisch gegen mir vorgegangen, weil er Angst hatte, daß ich auch noch die Unterhose herauszöge.«
Isabel setzt sich auf einen Stuhl, dreht sich herum, blickt an der Wand empor, bedeckt ihren Mund mit beiden Händen und wendet sich wieder Frau Schlobohm zu. »Aber was machen wir denn nur, meine liebste, beste Frau Schlobohm, was machen wir denn nur?«
»Da können Sie gar nichts mehr an machen. Das ist nun geschehen, und da ist es eben geschehen.«
»Doch, wir finden schon noch etwas, wir trinken jetzt erst einmal eine Tasse Kaffee zusammen und überlegen uns, was wir machen können. Das eine verspreche ich Ihnen heute schon: Auf dem nächsten Sängerball tanze ich den ersten Tanz mit Ihrem Mann und alle Haupttänze auch. Das heißt, wenn er überhaupt noch etwas von mir wissen will.«
»Sie hätten nur sehen sollen, wie die Leute gegrient haben trotz dem Ernst von den Sarg.«
»Oh, ich kann mir's denken, oh, oh! Und da wird einem wieder vor Augen geführt, wie seltsam und schrecklich die Welt erschaffen ist. Es gibt ja nichts, Frau Schlobohm, was so todestraurig wäre, daß es nicht auch eine komische Seite hätte.«
»Aber nicht für jeden«, sagt Frau Schlobohm. Sie sagt »dscheden«.

Andreas kommt in die Küche. »Also, ich war eben im Keller . . .«

»Ach du liebe Zeit«, sagt Isabel, »was habe ich denn nun schon wieder Diesbezügliches gesündigt?«

»Wieso?«

»Wenn du so ein Gesicht machst, fällt mir immer ein bißchen die Butter vom Brot.«

»Die Butter vom Brot . . .? Man könnte auch sagen: die Kartoffeln aus der Kiste.«

»Sie ist ja nur noch halb voll. Wie können da denn welche herausfallen?«

»Oben nicht, aber unten.«

»Unten?«

»Wir wollen einmal gemeinsam versuchen, es herauszufinden, meine kleine Indianerin. Warum hat dein Gatte zum Beispiel überhaupt so eine Kiste angeschafft für teures Geld?«

»Damit unsere Erdäpfel nicht auf dem kalten Zement liegen.«

»Wenn aber nun der Kistenboden herausgefault ist, wo liegen die Erdäpfel dann?«

»Da muß ich mich aber doch wundern. Ich wußte ja, daß der Boden nicht mehr da ist. Aber daß er schon so sehr nicht mehr da ist, das wußte ich nicht.«

»Fachleute empfehlen, die Kiste an den vier Ecken auf vier Klötze zu stellen.«

»Das will ich gern tun. Aber dann fallen die Kartoffeln doch erst recht heraus.«

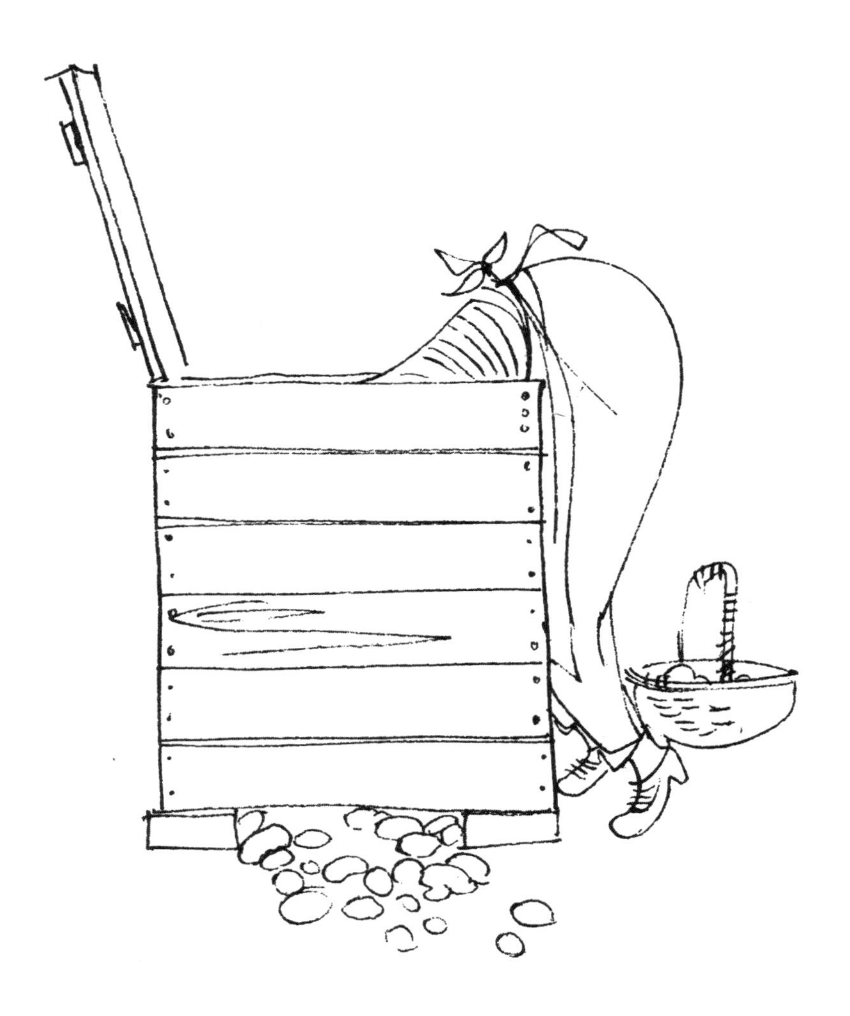

Sie spart abermals

»Andreas, mein einziger Andreas, du weißt doch, wie schlecht ich mit dem Telephon fertig werde. Könntest du nicht einmal den Kleinbahnhof anrufen, ob ich mein Handtäschchen im Zug hätte liegenlassen?«

»Doch nicht das aus Venedig, das lederne mit den goldenen Lilien?«
»Ja, leider. Wir haben schon überall gesucht, Viola und ich, aber wir können es nirgends finden. Ich muß es im Zug vergessen haben. Und dabei mochte ich es doch so gern leiden. Kinder, ich hatte aber auch so viele Siebensachen um mich herum, daß es wirklich kein Wunder ist. Wann soll denn endlich unser Auto wieder heil sein?«
»In welchem Abteil hast du gesessen?«
»Im zweiten Wagen, in Nichtraucher. Aber sie haben natürlich trotzdem alle geraucht.«
»Im zweiten von vorn?«
»Nein, von hinten. Oder war es der dritte? Ach, das werden sie schon wissen. Bitte, lieber Andreas!«
Andreas ruft den Bahnhof an. Dem Vorsteher ist nichts von einer Handtasche bekannt, er verspricht aber, hinter dem Zug her zu telephonieren und dann Bescheid zu geben. Nach einer halben Stunde klingelt es: Eine Handtasche wurde nicht gefunden, wohl aber eine Tüte mit Salzbrezeln.
»Was, habe ich die Brezeln auch liegenlassen? Viola, sieh doch bitte mal in der großen Basttasche nach, die in der Speisekammer steht, ob die Salzbrezeln drin sind!«
Wie Viola zurückkommt, sagt sie: »Brezeln waren keine drin, aber dies hier.« Sie hält das venezianische Täschchen hoch.
»Viola, Kind, wo hast du es denn gefunden?«
»Zuunterst in der Basttasche, unter den Apfelsinen.«
»Nein, so ein Glück! Zeig einmal her! Siehst du, Andreas, und die fünfzig Mark sind auch noch da! Was hat das Täschchen wohl gekostet?«

Andreas kann sich nicht mehr genau entsinnen, glaubt aber, daß er damals den Gegenwert von dreißig Mark dafür gegeben habe.
»Dann habe ich also, sage und schreibe, achtzig Mark gespart. Du gibst sie mir am besten gleich, sonst vergissest du es wieder oder erfindest irgendwelche Ausreden. Und Viola bekommt fünf Mark Finderlohn.«

Sie rettet eine Fliege

Mit flinken Händen schält Isabel, auf einem Gartenstuhl sitzend, einen Fallapfel, schneidet ihn in acht Teile, entfernt das Gehäuse und läßt die Spelten in den großen Kochtopf fallen, der neben ihr steht. Dann kommt der nächste Apfel an die Reihe.
Andreas hat sich's in einem Liegestuhl am Rande der Terrasse bequem gemacht und sieht ihr zu. Hin und wieder wirft sie ein Apfelstückchen zu ihm hinüber, das er auffängt und verspeist.
»Da könnt ihr nun sagen, was ihr wollt«, beginnt sie, »aber das Telephon richtet nichts als Unheil an.«
»Was ist denn nun schon wieder vorgefallen?«
»Als ich vorhin den Milchtopf aus der Speisekammer holte, zappelte wahrhaftig eine Fliege darin herum. Aber meinst du, ich hätte sie in Ruhe herausfischen können? Nein, das elende Telephon mußte klingeln. Hinterher war die Fliege natürlich ertrunken. Ich habe sie dann auf den Küchentisch gesetzt und Wiederbelebungsversuche gemacht. Man darf sie nämlich nicht auf den Rücken legen, sonst gerät die Milch in ihre Atmungsvorgänge.«

»Wo hinein?« fragt Andreas.
»Wo sie mit atmet. Du weißt ganz genau, was ich meine. Aber sie hatte so viel Milch um sich herum, daß ich sie erst einmal mit Zeitungspapier trocken saugen mußte. Und dann habe ich ihre Beine bewegt mit zwei Streichhölzern, bis sie wieder zu sich kam. Sie machte ihren Kopf sauber und . . .«
Isabel hört auf zu sprechen, legt das Messer langsam auf ihren Schoß und schlägt mit einer leichten Bewegung eine Fliege tot, die auf ihrem linken Unterarm herumläuft.
»Sie machte ihren Kopf und die Flügel sauber, bis sie wieder hübsch war und davonsummen konnte.«
»Und eine halbe Stunde später«, sagt Andreas, »wurde sie von einer Dame namens Isabel erschlagen.«
»Wieso?«
»Gerade eben auf deinem Arm. Frauenlogik. Und wenn es nicht dieselbe war, dann war es doch eine Fliege. Die eine wird gerettet, die andere verworfen. Prädestination.«
»Das ist ganz etwas anderes, ob ich zusehe, wie die eine sich zu Tode quält, oder ob ich die andere kurzerhand erschlage.« 
»Na, weißt du, tot ist tot.«
»Aber sterben ist nicht sterben.«
»Sie war aber doch schon so gut wie gestorben, die in der Milch.«
Isabel lehnt sich zurück. »Du, jetzt ist mir mit einem Male etwas klargeworden . . . Magst du noch ein Stück Apfel?«
»Gern.«
»Hier. – Jetzt ist mir mit einem Male klargeworden, warum ihr Männer alles falsch macht. Ihr betrachtet immer eine

Begebenheit genauso wie die andere, obwohl doch jede eine Sache für sich, ganz für sich, ganz neu und anders und für sich ist. Männerlogik. Männerlogik ist furchtbar falsch. Ich dagegen betrachte das andere als etwas anderes. Und das ist richtig. Das ist das Leben.«
»Hm«, sagt Andreas.

Sie lehnt einen Tischherrn ab

»Nein«, ruft Isabel, »den will ich nicht zum Tischherrn haben!«
»Aber warum denn nicht?« fragt Andreas.
»Der ist mir nicht majorenn genug.«
»Darf man sich einmal unterderhand erkundigen, was ›majorenn‹ bei dir bedeutet?«
»Wenn einer einen Schnurrbart kriegt oder so.«

Sie stellt einen Hund ins Fenster

Vorsichtig drückt Andreas die Tür ins Schloß. Im Atelier geht der fröhliche Lärm weiter. Aber hier draußen in dem kleinen Windfang herrscht eine dumpfige Stille. Und sogleich legt sich diese Beklemmung wieder auf ihn, die er hat vergessen wollen. Er stöhnt, während er seinen Mantel anzieht, leise vor sich hin. Wenn er jetzt nach Hause kommt, erwartet ihn keine lächelnde Isabel mit dunklen, warmen Augen, sondern eine stumme und feindselige. Wie hatten sie sich auf diese acht Tage gefreut, Isabel und er, in denen sie ganz allein im Hause sein würden, ohne die Kinder! Und nun, wo es soweit ist, haben sie sich wegen dieser Kleinigkeit so tief veruneinigt, daß es nie wieder gut werden kann. Er schlägt den Mantelkragen hoch, öffnet die Haustür und tappt in die Dunkelheit hinaus.

»Ach ja ja ja, ach ja.«

Zuerst sieht er fast nichts. Dann nimmt er, emporblickend, den Himmel zwischen den Föhrenwipfeln wahr, der den Weg bezeichnet, und tappt weiter.

Schuld? Wer hat eigentlich schuld? Alle haben schuld, dieser unselige Onkel Markus, der den Porzellanhund von seiner Englandreise mitgebracht hat, der dreimal verwünschte Hund auch, Isabel auch, und er selbst, Andreas, nicht minder. Alle. Ach was, Isabels Onkel natürlich nicht, und der Hund schon gar nicht. Trotzdem wird er, Andreas, das Porzellangebild aus Staffordshire mit den kupferig vergoldeten Hängeohren, mit der vergoldeten Kette und dem vergoldeten Schwanz in tausend Stücke werfen, wenn er gleich nach Hause kommt. Schuld haben in Wirklichkeit nur Isabel und er. Schuld haben die verruchten Mächte, die in ihnen wohnen. Manchmal kann man geradezu an Dämonie glauben. Er ist Isabel doch von ganzem Herzen zugetan, und sie ihm auch. Und doch geschieht es zuweilen wie ein Fluch, wenn das Nächtliche, Wilde in ihnen aufdringt und sie etwas sagen oder tun läßt, wodurch sie sich gegenseitig rasend machen, wider besseres Wissen und Wollen. Das ist es: wider besseres Wissen und Wollen.

Der Weg führt nun am Waldrand entlang auf das Dorf zu. Andreas kann schneller gehen. Die Finsternis ist nicht mehr so dicht. Da und dort zeigen sich sogar einige Sterne.

Gut, Onkel Markus hat ihnen diesen englischen Porzellanhund in Weiß und Altgold geschenkt. Ein wunder-

volles Stück vom Anfang des vorigen Jahrhunderts, auf den Hinterbeinen sitzend, die Vorderpfoten aufgestemmt, im Profil sozusagen, die schwarze Schnauze zur Seite gekehrt, so daß die gelben, etwas vorquellenden Augen mit den schwarzen Pupillen auf den Beschauer gerichtet sind.

Gut.

Er hat ihnen auch beim Tee erzählt, daß der Seemann so einen Hund seiner Liebsten mitzubringen pflegt, damit er über sie wacht. Und wenn sein Schiff das nächste Mal wieder im Hafen liegt und er bei der Liebsten vorspricht, wird der Hund so ins Fenster gestellt, daß er nach draußen blickt. Jedermann weiß dann, daß ein Besuch jetzt unerwünscht ist. Onkel Markus hat, nachdem sein Daumen einige Male über den grauen Nasenschnurrbart gefahren ist, hinzugefügt, ihm sei berichtet, daß sich auch, mit Verlaub, die freundlichen Mädchen in den Hafengegenden dieser Hunde bedienten. Wenn so ein Hund seinen Rücken der

Straße zuwende, so solle das besagen, daß seine Herrin nichts gegen den Besuch eines liebebedürftigen Gastes einzuwenden habe. Kehre er aber, grimmig dreinschauend, seine Vorderseite der Straße zu, so bedeute es, daß sie bereits in Galanterien verstrickt ist.
Isabel hat den Brauch ebenso lustig wie praktisch gefunden. Und wie Onkel Markus gegangen ist, hat sie vorgeschlagen, den Hund in das Fensterchen neben der Haustür zu stellen, wo er, gleich seinen englischen Artgenossen, den Freunden und Bekannten dartun könne, ob sie zur Stunde willkommen seien oder nicht. Aber Andreas ist der Ansicht gewesen, der Hund gehöre seiner Herkunft und dekorativen Gestalt nach auf die Konsole vor dem Biedermeierspiegel, wo er sich zwischen den beiden hellblauen Milchglasleuchtern wie zu Hause fühlen werde. Und dann ist, weil Isabel nichts davon hat wissen wollen, sondern erst mit scherzhaften und dann mit trotzigen Worten auf ihrem Standpunkt beharrt hat, im Verlauf von wenigen Minuten das Unheil hereingebrochen. Unaufhaltsam. »Sag es nicht!« hat etwas im Herzen von Andreas geflüstert. »Du bist ja von Sinnen, sag es nicht!« Aber er hat es doch gesagt, obwohl er gewußt hat, daß es nichts anderes bewirken würde als Schmerz und Empörung. Und dann hat Isabel etwas noch Schlimmeres hervorgestoßen, glühenden Auges und bebenden Mundes. Und dann ist alles Blindheit und Gottverlassenheit geworden. Es hat sich ja schon längst nicht mehr um den Hund gehandelt. Wieder einmal ist all das Fremde und Grausame, das in den Geschlechtern wohnt und sie gegeneinander aufzubringen trachtet, unbegreiflich emporgewogt. Ach, schrecklich, schrecklich! Zuletzt ist er mit schleppenden Schritten die Treppe hinaufgestiegen, hat

sich in seinem Arbeitszimmer ans Fenster gestellt und hat, ohne etwas zu sehen, auf die Föhren- und Birkenwipfel gestarrt.
In einem Winkel seines Herzens ist die verzweifelte Hoffnung erwacht, Isabel werde kommen und irgend etwas tun, was den Bann lösen könne. Wieder und wieder hat er nach der Treppe gehorcht. Aber nichts hat sich geregt. Da ist er denn fortgerannt, erst blindlings über den Hügel und hinunter in die Flußniederung und dann, wie es dämmerig geworden ist, durch den Wald ins Atelier von Makau, in dem sich gegen Abend immer allerlei Gerechte und Ungerechte treffen.
»Ach ja ja ja, ach ja.«
Er überquert ein Heidestück. Im Osten steht ein rötlicher Schein am Himmel. Da ist wohl, hinter den Wolken, der Mond aufgegangen. Nun taucht das Haus am Hang auf. Alle Fenster sind dunkel. Isabel liegt gewiß schon im Bett.
Wie Andreas die Haustür öffnen will, erweist sich, daß sie verschlossen ist. Er wendet sich dem kleinen Fenster zu, hinter dessen angelehntem Flügel Isabel den Schlüssel zu verstecken pflegt. Da bemerkt er etwas Helles hinter der Scheibe. Er beugt sich vor. Es ist der Porzellanhund. Andreas erkennt den dreieckigen Umriß, die schwarze Schnauze, die goldenen Ohren, die jetzt ebenfalls schwarz aussehen.
Der Hund blickt nach draußen.
»Aha«, flüstert Andreas. Dann drückt er gegen den Fensterflügel, der sich aber nicht rührt, dann schimpft er eine Weile, und dann geht er ums Haus, um irgendein Einschlupfloch zu entdecken. Aber kein Fenster steht offen,

auch das Speisekammerfenster nicht, mit dem Isabel es sonst nicht so genau nimmt.
Mit einem Male schießt ein Entsetzen durch ihn hindurch. Was hat Onkel Markus gesagt? Wenn der Hund nach draußen . . . Aber gleich darauf atmet er wieder ruhiger. Isabel ist zwar zu manchem imstande, doch dazu nicht. Er sucht weiter. Nein, dazu wahrhaftig nicht. Schließlich hebt er die Roste von einem Kellerschacht ab, tritt unten die blinde Scheibe ein und kriecht in den Kartoffelkeller.
Im Hause ist alles unverschlossen.
Er hängt seinen Mantel in der Diele auf und greift nach dem Porzellanhund, um ihn mit einem Donnerkrach auf dem Klinkerboden zu zerschmettern. Im letzten Augenblick besinnt er sich jedoch eines andern und stellt ihn, mit dem Gesicht nach unten, auf die Treppe, die nach seinem Arbeitszimmer hinaufführt. Dann geht er vollends nach oben und wirft sich, in eine Wolldecke gehüllt, auf seinen Diwan. Er schläft sofort ein.
Am andern Morgen fährt er, ohne gefrühstückt zu haben, in die Stadt und kommt erst abends zurück. Diesmal ist weder die Haustür verschlossen noch das kleine Fenster bewacht. Aber er sieht, während er seinen Mantel ablegt, daß Isabel den Hund vor die Wohnzimmertür gestellt hat.
In gewisser Hinsicht, denkt er, ist dies ein Fortschritt.
Nachdem er sich die Hände gewaschen hat, geht er mit deutlichen Schritten auf die Wohnzimmertür zu, hebt den Hund auf und tritt ein. Isabel sitzt in der Nische am gedeckten Tisch und ißt zu Abend. Neben ihrem Teller liegt ein aufgeschlagenes Buch. Sie rührt sich nicht, wie er sich auf seinem Stuhl niederläßt. Wortlos stellt er den Hund

neben sich auf den Tisch, mit der Schnauze gegen Isabel, steht auf, holt sich einen Teller, eine Teetasse und ein Besteck aus der Anrichte, setzt sich wieder hin und greift zu. Er gibt sich den Anschein, als schmecke es ihm vorzüglich. In Wirklichkeit weiß er kaum, was er ißt. Isabel streicht sich dagegen, soweit er schielend erkennen kann, die Butter mit Behagen auf weißes und schwarzes Brot, wählt sorgfältig unter den Aufschnittsorten und verspeist ein Schnittchen nach dem andern. Während des Kauens beugt sie sich vor und sieht mit ernsten Augen in ihr Buch. Andreas denkt, das könne noch lange so fortgehen, und macht Anstalten, sich zu erheben. Aber Isabel kommt ihm zuvor. Sie klappt das Buch zu und deckt ab. Natürlich nur die Dinge, die sie benutzt hat.

Im Hinausgehen faßt sie, gleichmütigen Gesichts, nach dem Hund und nimmt ihn mit. Andreas betrachtet eine Weile die Tür, durch die sie verschwunden ist, dann sagt er laut: »Hexe!« Und nach einer Pause: »Zigeunerhexe!«

Und nach einer weiteren Pause: »Abscheuliche Zigeunerhexe!« Er wirft ein Stück Zucker hoch und schnappt es mit dem Mund auf. Dann ißt er weiter. Merkwürdigerweise schmeckt es ihm etwas besser. Es ist so still, daß er die Uhr auf der Diele ticken hört. Irgendwo rauscht eine Wasserleitung. Er weiß nicht, ob in der Küche oder im Bad.

Wie er sich drei Stunden später vom Schreibtisch erhebt und die Treppe hinuntergeht, rechnet er damit, den Porzellanhund vor der Schlafzimmertür zu finden. Aber die Tür ist unbewacht. Er erledigt im Bad die üblichen Handgriffe, wobei er wiederholt sein Spiegelbild mit gekrauster Stirn betrachtet, den Kopf schüttelt und verschiedene Fratzen schneidet. Dann betritt er das Schlafzimmer und tastet sich nach seiner Bettlampe hin. Das gedämpfte Licht flammt auf. Von Isabel ist nur der dunkle Schopf zu sehen, so tief hat sie sich unter die Decke gewühlt. Aber dort, wo die beiden Betten zusammenstoßen, zwischen Kissen und Kissen, sitzt der weißgoldene Hund und glotzt ernst und

abweisend zu ihm herüber. Es will Andreas sogar vorkommen, als ziehe er die schwarzen Lefzen ein wenig hoch und begänne zu knurren.
Er knipst das Licht schleunigst wieder aus und legt sich leise hin. Ob Isabel wohl schon schläft? Wenn er nach ihr hinüberhorcht, kann er keine Atemzüge wahrnehmen. Aber wie er etwas später beim Gedanken an die Rolle, die der Hund bislang in diesem Haus gespielt hat, in sich hineinlacht, glaubt er zu hören, daß Isabel sich bewegt. Er hebt den Kopf, da wird es wieder still. Nun fühlt er langsam mit der Hand gegen Isabels Bett hin. Der Hund ist noch da. Vorsichtig, ganz vorsichtig dreht er ihn herum. Wenn Isabel morgen früh erwacht, soll sie gerade in die gelben Glotzaugen blicken. Er stellt sich vor, wie ihr verschlafenes Gesicht dann aussehen wird. Dabei muß er abermals in sich hineinlachen. Aber sein Herz lacht nicht mit, sein Herz ist traurig. Was für eine Frau hat er geheiratet! Hilflos in der Liebe und hilflos im Zorn. Einmal konnte sie mit wilden Händen aus seinem liebsten Buch Seite um Seite herausreißen, und ein anderes Mal konnte sie die ganze Nacht daliegen und fassungslos weinen vor Schmach und Sehnsucht und Liebe.
Still! Weint sie auch jetzt?
Er hält den Atem an. Nein, nichts. Oder hat sie gelacht? Er weiß nicht, woran er mit ihr ist, jetzt nicht und nie. Isabel, immer anders, schwermütig und heiter, zähneknirschend und sanft, dunkel und leuchtend, immer voller Weiblichkeit und Überraschung . . . Isabel . . . Isabel . . .

Er schreckt hoch, weil jemand ihn an der Schulter rüttelt. Im Schlafzimmer ist es dämmerig.

»Was gibt's denn?« stammelt er. Isabel sitzt in ihrem Bett und starrt ihn verstört an. Ihre großen ausländischen Augen stehen voller Tränen.
»Du sollst nicht schlafen, wenn ich hier sitze und Kummer habe! Du sollst nicht immerzu schlafen!«
Andreas stützt sich mit den Ellbogen hoch und blickt um sich. Wahrhaftig, es ist schon Morgen! Dann murmelt er: »Man bittet, die Stellung des Hundes zu beachten.«
»So?« entgegnet Isabel heftig. »Beachtest du etwa seine Stellung?«
»Von mir ist weiter nicht die Rede. Der Hund wendet sich dir zu. Dir. Und das bedeutet, wenn ich mich recht erinnere, daß du mich jetzt nicht stören darfst.«
»So? Von dir ist nicht die Rede? Von dir ist wohl die Rede. Gerade von dir.«
»Wieso ist von mir die Rede?«
»Was dreht er dir denn zu? Er dreht dir den Rücken zu. Und was bedeutet das? Es bedeutet, daß keine Einwendungen erhoben werden, wenn du bei mir anklopfst und mich besuchst und alles.«
Andreas läßt sich vor Verblüffung ins Kissen zurückfallen. »Das ist ja nun«, stammelt er. »Ich muß sagen ... Also ... Wer hat den Hund denn so herum ... Du etwa? Gestern abend etwa? Du wolltest doch, daß er mich anknurrte.«
»Jetzt ist nicht gestern abend, jetzt ist jetzt.«
»Allerdings. Aber ich bin es doch gewesen, der den Hund so hingestellt hat, wie er jetzt steht. Ich und nicht du. Das macht nämlich einen Unterschied. Der Hund ist nämlich ein relativer Hund. Zur Stunde wenigstens.«
»Ja eben, das sage ich ja. Du willst nicht, daß ich zu dir

komme mit Versöhnung und allem. Aber ich bin die Friedliche und Freundliche. Wie immer. Ich.«
»Besonders gestern nacht, ich meine vorgestern nacht, wie du mich ausgesperrt hast bei Regen und grauenvollem Unwetter.«
»Und du willst ein schriftstellerischer Menschenkenner sein!«
»Was will ich sein?«
Isabel wendet sich ab, fährt sich mit der Rückseite ihrer Finger über die Augen und schluchzt durch die Nase.
»Was will ich sein?« wiederholt Andreas.
»Alle Männer bilden sich ein, sie seien Menschenkenner. Du auch.« Sie läßt zur Bekräftigung ihrer Worte den Kopf gegen ihn fallen, einmal und noch einmal. »Und dabei kennst du gar nichts. Überhaupt nichts. Und am allerwenigsten mich. So. Darüber kannst du ruhig einmal nachdenken.«
»Erstens habe ich nie auch nur andeutungsweise zu verstehen gegeben, daß ich mich für einen Menschenkenner hielte. Zweitens weiß ich nicht, was das hier zu tun hat. Und drittens kenne ich doch etwas: eine zugeschlossene Haustür und einen Hund, der durch ein Fensterchen guckt und den nächtlichen Heimkehrer anknurrt.«
»Viertens, fünftens, sechstens . . . Das war ja gerade ein Zeichen für . . . Ach, du begreifst ja nichts. Das war doch alles nur die Liebe. Und der Hund kann überhaupt nicht knurren.«
»Was war das?«
Isabel antwortet nicht.
»Was soll ich denn nun glauben?« sagt Andreas. »Als er sich gestern gegen mich wandte, da war das ein Zeichen

von Liebe. Und wie er sich heute von mir abkehrt, ist es abermals ein Zeichen von Liebe. Gibst du wenigstens zu, daß du der Logik ermangelst?«

»Ich gebe zu, daß ich den dümmsten Mann der Welt erwischt habe. Du bist ja so dumm, daß man es schon mit dem Kochlöffel fühlen kann.« Sie wendet sich von ihm ab, wirft sich ins Kissen und zieht die Decke über ihren Kopf.

Eine Weile bleibt Andreas so, wie er ist. Dann gleitet er mit dem Hund aus dem Bett und tappt barfüßig ans Fenster. Wie er den Vorhang in der Mitte teilt, schiebt Isabel ihren Kopf unter der Bettdecke hervor und sieht ihm verwundert zu.

»Was machst du denn da?«

»Ich stelle nur den Hund ins Fenster.«

»Und warum?«

»Weil . . . Du, was dich betrifft, so bist du aber auch nicht gerade die Klügste.«

Sie findet ihre Stickschere wieder

Den ganzen Morgen klagt Isabel im Hause herum, ob denn niemand ihre kleine Stickschere gesehen habe. Aber niemand weiß etwas davon.

»Und dabei brauchen wir sie doch so nötig, wir wollen doch Blockflöte üben, Martin und ich.«

»Entschuldige«, sagt Andreas, »wozu braucht man denn da eine Stickschere?«

»Für den Notenständer.«

»Entschuldige, aber ich bin manchmal etwas langsam von Begriff.«

»Der Pflock ist doch verschwunden, den man in das Loch

steckt, wenn man das Notenpult höher oder tiefer haben will. Statt dessen nehmen wir immer die Stickschere, weil sie gerade hineinpaßt.« Andreas sagt »Hm« und schlägt vor, sie solle einmal überlegen, wann und wo sie zuletzt mit der Schere hantiert habe.
»Zuletzt? Ich glaube gestern abend. Oder war das schon vorgestern?«
»Und wo?«
»Da am Fenster. Ich habe die Erde in den Blumentöpfen gelockert.«
»Mit der Schere?«
»Weil ich gerade einen Augenblick Zeit hatte. Und seitdem ist sie verschwunden. Wo, wo, wo mag sie nur stecken?« –
Wie Andreas am Nachmittag über die Diele geht, sitzt Isabel an ihrer Nähmaschine. Das geringelte Pulloverchen ist hochgerutscht, die Trainingshose strafft sich über den Hüften, das Haar sieht, wie üblich, aus, als habe sich ein stürmischer Verehrer damit befaßt.
»Hier«, sagt sie und wendet sich um, »das müßte auch als ein Kunstwerk gelten, wenn es gerecht zuginge auf der Welt, der neue Kragen hier an deinem Hemd. Du kannst mir glauben, daß es nicht viele Frauen gibt, die sich so eine Mühe damit machen. Und meine Stickschere ist auch wieder da.«
»Ach! Wo war sie denn?«
»Das weiß ich auch nicht. Mit einem Male, als ich die Treppe hinaufging, fiel sie irgendwo aus meinem Hosenbein heraus.«

Sie träumt von Andreas

Am Sonntagmorgen während des Frühstücks sagt Andreas, es sei doch merkwürdig, was für einen Unsinn man sich

manchmal so zurechtträume. Und dann erzählt er einen Traum, der in der Tat einen äußersten Fall von grausiger Seltsamkeit darstellt.
»Ich dagegen habe von dir geträumt«, sagt Isabel versonnen. »Ganz wunderschön. Das heißt, du warst es nicht.«

Sie probiert, ob sie noch jung ist

Kinder hätten es ja nie leicht mit ihren Eltern, sagt Viola beim Abendessen. Aber was sie heute nachmittag auf dem Bremer Freimarkt mit ihrer Mutter hätte durchmachen müssen, sei so schlimm gewesen, daß sie nie, nie, nie wieder mit ihr dorthin ginge.
»Erzähl mal, Viola, erzähl mal!« Martin schwingt seine Hände und rückt mit dem Stuhl noch etwas näher an den Tisch heran. Christoph meint, er könne sich's schon denken, Isabel sei sicher in eins von diesen kleinen elektrischen Autos gestiegen und habe alles in Grund und Boden gefahren.
»Wenn es weiter nichts gewesen wäre!«
»Dann hat sie wohl«, lacht Görge, »auf den Lukas gehauen?«
»Viel was Schlimmeres!«
Isabel ist ein bißchen rot geworden, läßt sich aber keinen Augenblick beim Verspeisen ihres Apfelreises stören. Höchstens, daß sie einmal einen schnellen Blick aus den Augenwinkeln auf Andreas wirft.
»Wußtest du das denn nicht, Viola?« sagt Andreas. »Deine unmögliche Mutter muß doch in jedem Jahr einmal probieren, ob sie noch jung ist. Du hast recht, es kann einem angst und bange dabei werden. Und deshalb bringt mich

nichts auf der Welt mehr dazu, mit ihr auf den Freimarkt zu gehen. Mich auch nicht.«.
»Hast du es einmal richtig mitgemacht?«
»Einmal? Zwanzigmal!«
»Armer, schwergeprüfter Vater!«
Isabel ißt seelenruhig weiter, als sprächen sie von einer fremden Frau.
»Also, was war es denn nun?« ruft Görge. »Erzähl doch endlich, Viola!«
»Es war dies Band, das so schräg in die Höhe gleitet, außen an der Turmrutschbahn. Man muß darauf gehen, wenn man zum Turm hinauf will. Und wer nicht ganz sicher ist, fällt hin. Und das Band bewegt sich unaufhaltsam weiter, ziemlich schnell eigentlich, und dann überkollert der Hingefallene sich und streckt die Beine zum Himmel empor oder sonst etwas. Manche halten sich auch, wenn sie torkeln, am Geländer fest. Aber das ist das Allerverkehrteste, denn das Band nimmt die Beine mit, und dann hängt man da und zappelt und kann nicht leben und nicht sterben. Furchtbar. Und der nächste, den das Band hinaufträgt, fällt über einen, und dann wälzt sich alles durcheinander wie Kraut und Rüben. Und die Leute, die zusehen, kreischen vor Schadenfreude. Ihr macht euch keine Vorstellung.«
»Und da ist Mutti draufgegangen? Auf das Band? Erzähl doch mal, Viola! Hat sie sich auch überkollert?«
Nachdem Isabel mit der Kuppe ihres Mittelfingers ein Reiskörnchen von ihrem Mundwinkel weggetupft hat, lehnt sie sich zurück und sagt, Andreas und Viola seien armselige Erdenwürmer, denen der Sinn für die höheren Dinge des Freimarktes völlig abgehe. Mit dem gleitenden Band verhalte es sich folgendermaßen: Man müsse sich, wenn man

es beträte, also beim Übergang vom Festen auf das Gleitende, einen gewissen Schwung geben. Dann sei weiter nichts dabei, und man führe leicht und sicher hinauf. Wer es aber mit Vorsicht versuche, der sei verloren. Und solange sie diesen Schwung noch fertigbrächte, diese kleine Verwegenheit, so lange sei sie noch jung. Und das könne sie eben nirgends anders ausprobieren als auf dem Band vor der Turmrutschbahn. Und um die Leute kümmere sie sich kein bißchen.

»Ja, du!« sagt Viola. »Aber ich! Ich stehe mitten unter ihnen und muß zusehen, wie meine leibhaftige Mutter hinfällt und sich überkollert. Und nicht nur zusehen, ich muß auch hören, was sie über dich sagen, über deinen Schlüpfer und was weiß ich alles.«

»Kannst ja mitkommen.«

»Ich werde mich schön hüten.«

»Hat Mutti sich überkollert? Du, hat sie sich überkollert?«

»Ach was. Als ich zur Kasse gehen wollte, hat Viola sich an mich gehängt und gejammert und getan, bis ich ihr versprochen habe, mir von dem jungen Mann helfen zu lassen, der einen, wenn man es wünscht, bei der Hand nimmt und einen erst wieder freigibt, wenn man, ohne zu schwanken, auf dem Band steht. Was ich versprochen hatte, mußte ich natürlich auch halten. Aber auf diese Weise war der Besuch der Turmrutschbahn ohne Wert für mich. Und jetzt wollen wir abdecken.« –

Zwei Stunden später kommt Andreas mit den letzten zehn Manuskriptseiten, an denen er in seinem Arbeitszimmer allerlei Änderungen vorgenommen hat, die Treppe herunter. Er ist mit einigen Stellen nicht zufrieden, weiß aber nicht, woran es liegt, und möchte sie gern Isabel vorlesen, von deren unbefangenem Urteil er viel hält. Im Wohnzimmer brennt kein Licht. Er blickt in die Küche: keine Isabel. Im Schlafzimmer, im Badezimmer ist sie auch nicht. Viola und Martin schlafen schon, aber hinter Christoph und Görges Tür schimmert noch Licht. Er geht hinein und fragt sie, ob sie Isabel nicht gesehen hätten.

»Nein«, sagt Görge. »Ich dachte, sie sei bei dir.«
»Merkwürdig.«
Wie Andreas die Haustür öffnet und in den Garten hinausruft, werden plötzlich die Föhrenwipfel von einem kreidigen Lichtschein angestrahlt, der schwankt und heruntersinkt. Jetzt liegt er auf den Stämmen. Gleichzeitig ertönt das Brummen eines Autos. Es schwillt an, ändert seinen Ton und verstummt.
Andreas geht durch den Garten zur Garage. Da kommt ihm Isabel auch schon entgegen: »La, lala!«
»Wo warst du denn mit dem Wagen? Jetzt in der Nacht? Du hättest mir wenigstens Bescheid sagen sollen ... Wo warst du denn?«
»Anstatt daß du dich freust, machst du mir Vorwürfe. Das finde ich gar nicht nett von dir.«
»Worüber soll ich mich denn freuen?«
»Daß du eine Frau hast, die noch jung ist.« Sie umarmt ihn und reibt ihre Wange an seiner. »Ich kann's noch, ohne hinzufallen. Dreimal sogar. Und jedesmal allein. Andreas, du hast eine ganz junge Frau. Freust du dich nun?«

Sie zieht einen Vergleich

Mit schnellen, zuckenden Bewegungen läßt Martin, der nackt in der Badewanne steht, das kalte Wasser aus der Handbrause über seinen sich windenden Körper rauschen. Seine gebrochene Stimme bringt dabei die unglaubwürdigsten Schudderlaute hervor. Dann reibt er sich mit dem Handtuch trocken.
Isabel sitzt neben ihm auf einem Hocker und versucht die

weggelaufenen Maschen in seinem Pullover wieder heraufzuholen.

»Merkwürdig«, sagt Martin, während das Blut durch seine bräunliche Haut strömt und sie kupferfarben werden läßt, »merkwürdig, und wenn das Wasser noch so kalt ist, man wird trotzdem glühend heiß davon. Wie geht das eigentlich zu?«

»Wie das zugeht?« Isabel sieht Martin an und preßt die Stopfnadel gegen ihre Unterlippe. »Das ist geradeso, wie wenn du jemanden mit kochendem Wasser begießest, dann wird er eiskalt.«
»Nee«, sagt Martin.
»Doch. Weil er nämlich totgeht.«

Sie singt die Namen der Sterne

»Ist das eine Finsternis«, sagt Andreas, wie er aus dem Haus tritt. »Warte! Ich kann nichts sehen.«
Isabel legt ihre Hand unter seinen Ellbogen und führt ihn den Weg hinauf bis zur Gartentür. Ihr macht die Dunkelheit nichts aus, sie hat Nachtaugen wie eine Katze.
Da glimmt vor ihnen ein rötliches Licht auf. Der alte Bauer, der sie mit seinem Schlitten abholen will, ist zur Seite getreten und hat die verrußte Laterne freigegeben.
Andreas streckt seine Hand aufs Geratewohl in die Nacht hinein. Sie wird gefaßt und geschüttelt: »Guten Abend auch! Wenn Sie bitte einsteigen mögen.«
»Ja, gern. Und vielen Dank, daß Sie uns holen«, sagt Andreas.
Ein Klirren ertönt, als fielen Glasscherben auf den gefrorenen Schnee: Röngeldidring.
»Och, ich mache auch ganz gern mal eine kleine Schlittenfahrt. Wenn Sie bitte einsteigen mögen.«
Allmählich erkennt Andreas den winzigen Holzschlitten in der Nacht und das große dunkle Pferd davor, das ungeduldig stampft. Mit Händen und Füßen tastet er sich in das Gefährt, in dem Isabel schon Decken und Felle ausbreitet.

Wie er sich gesetzt hat, kuschelt sie sich neben ihn und hüllt ihn und sich ein. Die Decken riechen nach Torfrauch und Heu. Sogleich entsteht eine behagliche Wärme. Aber der Bauer legt noch eine Art Segeltuch über sie und knüpft es an den Seiten fest. »Da geht kein Wind durch, passen Sie mal auf.« Dann schwingt er sich auf den Sitz, der rechts hinten am Schlitten angebracht ist, schwippt, nachdem er die Zügel ergriffen hat, ein bißchen mit der Peitsche und pfeift zärtlich. Die Kufen rumpeln dumpf, der Schlitten gleitet langsam davon. Und die Glöckchen am Geschirr machen im Rhythmus des gehenden Pferdes röngeldring, röngelröngeldring. Wieder ein zärtliches Pfeifen, das Pferd beginnt zu traben, und die Glöckchen singen röngeldidringdring röngeldidringdring . . .
Mit der Zeit gewöhnt Andreas sich an die Nacht. Er unterscheidet im Widerschein des Schnees die schattenhaften Vogelbeerbäume, die Schneewehen, die Hecken, die versunkenen Häuser. Wenn er den Kopf zurücklegt und emporblickt, sieht er die Sterne. Der Himmel ist nicht klar, aber an einzelnen Stellen glitzert es wie Diamantenstaub. Anderswo hängen Schleierwolken und lassen nur die hellsten Sterne hindurchschimmern, die sich durch die Brechung des Lichtes wie kleine Monde ausnehmen. Manche haben sogar einen Hof.
»Wie heißt der große Stern da?« fragt Isabel. Sie legt ebenfalls ihren Kopf zurück.
»Das muß Capella sein. Ja, da ist das große Fünfeck des Fuhrmanns. Und rechts darunter steht Aldebaran, der rötliche da. Und der verschwommene ist Sirius. Und die beiden, die sich so nahe sind, heißen Castor und Pollux. Und das ist Prokyon, der tiefere. Oh! Eine Sternschnuppe!«

Ein grüner Funke schießt über den Himmel und verschwindet, gerade wie er zerspringt, hinter dem Gewölk.
Nach einer Weile erkundigt Andreas sich bei Isabel, ob sie sich etwas gewünscht habe. Sie sagt, ohne sich zu rühren, gegen den Himmel, sie brauche sich nichts zu wünschen, jetzt nicht.
Seine Hand sucht unter der Decke nach ihrer. Sie nimmt die suchende und drückt sie einen Augenblick an ihre Brust. Er fühlt die atmende Wärme durch den Mantel hindurch. Weichen Ganges schaukelt der Schlitten über die Wellen des Schnees wie ein Schiff. Und wie ein Schiff giert er auch zuweilen mit einer sanft schleudernden Bewegung nach rechts oder links, wird zurückgeworfen und schmiegt sich wieder in die Fahrtrichtung hinein. Als sie eine Biegung durcheilen, trifft sie der Wind, den sie bislang, da er schräg von hinten kam, nicht gespürt haben, mit kaltem Sausen von der Seite. Sie ducken sich unter das Segeltuch und drängen sich noch enger aneinander. Groß, schwarz und wissend wogt das Pferd vor ihnen dahin. Es kennt den Weg auch in der Finsternis. Steigt die Straße ein wenig an, so fällt es in Schritt; geht die Bahn wieder waagerecht fort, so beginnt es, ohne daß der Bauer zu pfeifen braucht, abermals zu traben. An einer Biegung schwingt der Schlitten weit aus, als wolle er in den Graben rutschen. Isabel hält sich am Arm von Andreas fest. Es gibt einen Stoß, der Schlitten fängt sich und gleitet weiter.
»Was meinst du?«
»Aldebaran«, flüstert Isabel, »Sirius, Prokyon, Capella ... Was für Namen! Wenn mich einmal jemand fragt, wie das Glück heißt, will ich sagen, es hätte viele Namen: Prokyon, Aldebaran ...«

»Ich weiß noch einen anderen Namen für das Glück«, sagt Andreas. »Den schönsten eigentlich.«
»Welchen denn?«
»Er fängt, glaube ich, mit demselben Buchstaben an wie deiner.«
Da bewegt Isabel ihre Schultern vor Scham und Geborgenheit und summt, kaum hörbar, vor sich hin. Und aus dem Summen wird ein kleiner Gesang. Sie singt mit ihrer verhaltenen Stimme die Sternennamen zum Himmel empor. Andreas versucht, eine Begleitung dazu zu pfeifen, schwach und verhalten auch er. Die Glöckchen schwingen auf und nieder, Isabel singt, Andreas pfeift und brummt dann und wann ein langgezogenes Wort in ihre Melodie hinein, einen Namen, immer denselben Namen. Viel Staat kann er mit seiner Stimme nicht machen. Wenn der hohe Gesang ihn nicht führte, wäre er verloren. Aber es macht ihn so froh, dabeizusein. Ihre Stimmen sind so getreulich beieinander. Isabel singt die Sterne, und er singt Isabels lieben Namen. So fahren sie durch die Winternacht. Röngeldidringdring, röngeldidringdring . . .
Später, wie sie eine Zeitlang geschwiegen haben, sagt Isabel, man brauche so wenig, um glücklich zu sein.

Andreas lacht leise: »Ja, ganz wenig nur: einen Schlitten, ein Pferd, einen alten Bauern, ein verschneites Moor, einige Sterne, die Milchstraße und das Weltall.«
»Das Wichtigste hast du natürlich vergessen.«
»Was ist das Wichtigste?«
»Es fängt mit einem D an.«
»Mit einem D? Mit einem D? Dukaten?«
»Dann kommt ein I.«
»Di . . .? Dieb, Ding, Dienst, Diener, Dionysos? Das rate ich nie.«
»Ich brauche vor allen Dingen . . .« Sie neigt ihren Mund gegen sein Ohr und buchstabiert: »D-I-C-H.«
Wieder lacht Andreas: »Das ist allerdings sehr wenig.«
Da beißt sie ihn ins Ohr.
Röngeldidringdring . . .
Nun fahren sie unter einem feinen Netz hin, in dem silberne Fischchen blinkern. Es ist das Gezweig der Birken, die rechts und links neben der Straße stehen, es sind die hindurchscheinenden Sterne.
»Was würdest du denn unter ›viel‹ verstehen?« fragt Andreas.
»Wie meinst du das?«
»Du hast gesagt, man brauche so wenig, um glücklich zu sein. Was wäre denn viel?«
»Viel wäre, wenn man zum Beispiel die Tränen oder auch nur einen einzigen Seufzer eines andern Menschen dazu brauchte.«
»Hm«, macht Andreas. Nach einer Weile sagt er: »Und wie steht es mit deinen eigenen Tränen? Hast du noch nie über mich geweint?«
»Ach«, sagt Isabel, »das war früher.«

»Vorgestern.«
»Ja, früher, irgendwann.«
»Hm.«
»Man kann es nicht vergleichen«, sagt Isabel.
»Was?«
»Meine Tränen und dies, diese Fahrt, dies Glück, unser Glück jetzt. Es hat nichts miteinander zu tun.«
»Doch«, sagt Andreas. »Das Glück kostet viele Tränen «
Isabel lehnt sich an ihn: »Vielleicht wäre es sonst nicht das Glück.«
»Hm.«
Mit wiederholtem Pfeifen dämpft der Bauer den Eifer des Pferdes. Dann haben Andreas und Isabel das Gefühl, als drehe sich der Schlitten im Kreise und kippe langsam um. Isabel stößt einen Schrei aus. Aber das Pferd ist nur von der Landstraße in den Seitenweg eingebogen, der nach dem etwas tiefer liegenden Hof des Bauern führt.
Die große Dielentür wird geöffnet. Sie fahren in eine warme Dämmerung hinein. Die Schlittenkufen rauschen auf dem Lehm. Es riecht nach Tieren und säuerlichem Futter. In den Ständen bewegen sich die Kühe. Ein zufriedenes Muhen kommt auf sie zu. Sie sind da.

Sie bindet einen Adventskranz

Nach langem Suchen hat Martin die roten Bänder für den Adventskranz gefunden. Sie lagen in einer kleinen Schachtel, die sich in einer großen Schachtel auf dem Kleiderschrank befand.
»Und wo ist der Kranz, Mutti?«

»In der Waschküche. Aber er ist mir leider ein bißchen unregelmäßig geraten. So auf und ab. Hoffentlich findest du ihn nicht gar zu schlimm.«
»Warum hast du ihn denn nicht um so einen Drahtreifen gebunden?«
»Habe ich ja, Martin. Aber ich hatte ja keinen.«

Sie schreibt an ihre Tochter

Nun ist es auch über Dich gekommen, meine liebe, geliebte Tochter. Ich weiß, wie einem dann ums Herz ist, oh, ich weiß es. Es tut so weh. Wie können die Menschen nur behaupten, die Liebe bestünde aus Glück und Himmelslust? Sie ist doch so schrecklich anders.
In der Jugend, ganz früher, zu einer unwirklichen Zeit, als ich noch nichts wußte, dachte ich, sie erhöbe den Menschen. Sie tut es ja auch, jaja, aber sie überwältigt ihn zugleich mit Unseligkeit und Irrsal. Und je tiefer man liebt, um so unseliger wird man. Denn nie, nie, nie geschieht die Erfüllung.
Damals konnte es sein, daß ich mit meinen Nähsachen irgendwo im Garten saß, unter den Buscheichen, dort im zottigen Moos. Dann trat Dein Vater aus dem Haus und rief und suchte mich. Aber ich hielt mich ganz still. Ich legte mich nur hintenüber und erbebte vor Herzbedrängnis. Mit einem Male rauschte er gebückt durchs Laub und erblickte mich. Ich hatte mir ein Büschel von Eichenblüten ins Haar gesteckt, ich lag im Moos und schluckte und atmete. Und Dein Vater stand über mir. Seine Augen leuchteten, diese dunkelblauen fernesüchtigen Augen. Und ich setzte mich

auf in meiner Bedrängnis und faßte nach meinen Nähsachen. Ach, Kind, die Liebe kann manchmal sein wie ein Schweben auf dem Duft der Morgenröte und manchmal wie Todesangst, wirklich und wahrhaftig wie Todesangst. Aber er nahm mir das Batisthemd, an dem ich arbeitete, aus der Hand. Ich solle nicht nähen, wenn er bei mir sei.

»Nein«, sagte ich, »laß mich dies noch fertigmachen, diesen kleinen Saum noch! Dann will ich für dich dasein, den ganzen Nachmittag, den ganzen Abend.«

Aber er brauchte nur meine Schulter zu berühren, da vergaß ich den Batist und die Nadel und sah ihn an. Das Licht umflimmerte ihn, sein Gesicht war von Sonnenkringeln überweht, es neigte sich und wurde dunkel. Dein Vater kniete neben mir. Ich konnte es nicht glauben, daß diese Augen Gefallen an mir fänden und daß dieser Mund mich küssen wollte.

Und dann wurde ich geküßt. Der Garten begann zu schwanken. Ich fühlte, daß eine Mücke auf meinem Bein saß und an mir saugte, noch eine, zwei oder drei Mücken. Und dann wurde das Wogen, diese Ohnmacht, diese Inbrunst, dieser Wahnsinn so stark, daß ich nichts mehr fühlte, mich selbst auch nicht mehr, nichts. Aber zuinnerst schrie etwas vor Angst, innen in mir. Ich wollte noch leben und mußte doch sterben. Und dann quoll ein wildes Weinen empor.

Damals waren wir schon viele Jahre verheiratet. Zuweilen zweifelten wir daran, wir selbst. Jeden Tag war alles ganz neu. Er entdeckte jeden Tag etwas Neues an mir.

»Hast du das gestern auch schon gehabt?« konnte er fragen.

»Was?«

»Dies Zittern unten an deinem Kinn?«
»Ja, vielleicht. Aber nur, wenn du mich ansiehst.«
Wenn andere Leute kamen, wußten wir nicht, wie wir es aushalten sollten. Wir wagten nicht, unsere Augen sich begegnen zu lassen. Wir dachten, alles sei verboten. Und dann waren wir wieder allein.
Aber nie erfüllte es sich.
Sieh, Kind, alles, was die Menschen in ihrem Liebesüberschwang und in ihrer Menschenarmseligkeit ersinnen, ist vergeblich. Sie bleiben Gesonderte. Und immer ist die rätselhafte Fremdheit vorhanden. Und nie wird der Traum zu Ende geträumt. Mann und Weib, Weib und Mann. Immer zwei. Immer anders und unheimlich in ihren Gedanken und Gefühlen und tief in ihrem Geschlecht. Und sie möchten doch so aneinander sein, daß es keine Grenze mehr gäbe und keine Zweiheit, sie möchten doch grenzenlos eins sein. Das ist das Schlimme.
Oder gestern. Wie war es gestern? Ich wollte gerade die Haustür aufmachen und eine Decke ausschlagen, da sah ich durch die Scheibe Deinen Vater den verschneiten Gartenweg entlangkommen. Vorher war der Briefträger mit seinem Rad dagewesen und hatte eine Spur im Schnee hinterlassen. Und da sah ich, daß Dein Vater in Hut und Mantel und mit der Aktentasche in der Hand sich bemühte, genau in der Fahrradspur entlangzugehen. Jetzt schwankte er etwas und trat daneben. Und da lief er wahrhaftig zur Gartentür zurück und begann von neuem. Ein Junge, ein richtiger Junge. Mein Gott, wie lieb ich diesen Jungen mit der Aktentasche und mit dem Hut auf dem grauen Haar hatte, der vorsichtig Fuß vor Fuß setzte!
Er kam näher, und ich stand hinter der Scheibe und sah

zu. Nichts hatte sich geändert in all den Jahren. Ich bebte und atmete. Nun war er bei der Schwelle angekommen und blickte auf. Und da bemerkte er mich. Ein verlegenes Lächeln flog über sein Gesicht. Weißt Du, so, wie ein Junge lächelt, den man bei irgend etwas ertappt hat, ein bißchen schuldbewußt, nein, nicht schuldbewußt, ein bißchen beschämt und ein bißchen übermütig und ein bißchen trotzig. Und wieder erbebte ich vor Liebe und Hingerissenheit. Und dann war es eine Sekunde lang, während wir uns ansahen, er draußen und ich drinnen, und zwischen uns die Scheibe, dann war es, als übermöchte es uns, das Wunderbare, die letzte Erfüllung. Eine Sekunde lang. Ich lächelte nicht mehr.
»Du mein geliebter Junge!« flüsterte ich.
Aber er konnte es nicht hören. Er sah nur, daß meine Lippen sich bewegten. Vielleicht erriet er, was ich vor mich hin flüsterte. Seine Augen wurden so ernst. Ich dachte, ich müsse umsinken. Es war so . . . so . . . es war so mystisch. Aber es war nicht die Erfüllung. Noch immer nicht. Nie ist es die Erfüllung.
Darum dämmert ja auch um alle Liebenden, die aufrichtig in der Liebe stehen, diese merkwürdige Traurigkeit. Ich sehe und weiß es, und andere sehen und wissen es auch. Die Maler zum Beispiel. Achte einmal darauf, wieviel Verhangenheit und Schwermut im Blick der Liebespaare ist, die große Maler dargestellt haben! In ihrem Blick, in ihren zögernden Gebärden und überhaupt in ihrer Haltung. Und immer befinden sie sich in einem Raum des Schweigens. Bangigkeit, Stille, Hoffnungslosigkeit, das ist ihr Element. Nicht alle Maler haben es gewußt, natürlich. Sie haben ja auch nicht alle richtig geliebt. Ach, Kind, was begaben die

Menschen nicht alles mit dem Namen Liebe! Aber einige haben es gewußt, die Großen und Größten, sie wohl. Ob ihre Größe nicht sogar daher rührt, daß sie es wußten?
Ich schreibe Dir dies, meine geliebte Tochter, damit Du nicht denkst, es sei Dir allein beschieden. Alle Liebenden sind damit geschlagen, alle, alle.
Dein Vater hat einmal zu mir gesagt, eine Liebe, die nicht das Letzte, und das heiße doch das Unmögliche, wolle, sei keine Liebe. Es läge im Wesen der Liebe, die zwischen Mann und Weib walte, Unruhe, Erschrecken und Verzweiflung zu bringen. Sie sei in sich widerspruchsvoll wie die ganze Schöpfung.
»Warum?« fragte ich. »Aber warum nur?«

Dein Vater wußte es auch nicht.
»Gibt es denn keine Rettung?«
»Nein«, sagte er. »Oder vielleicht . . .«
»Was vielleicht?«
Er legte seinen Arm behutsam um mich und zog mich an sich. »Nie kann Seele zu Seele«, sagte er leise, »und nie Geist zu Geist, so inständig sie es auch ersehnen. Aber vielleicht vermögen wir uns durch Zeichen das Eigentliche und Letzte zu bedeuten, wonach wir lechzen, durch Zeichen mit den armen Händen und Augen und Mündern, durch die Zeichen unserer Kreatürlichkeit. Wenn wir uns küssen, warum tut es so beseligend? Weil es nicht nur das ist, was es ist, ein Mund-auf-Mund, sondern auch ein Zeichen der Ergriffenheit und Darbietung. Meint denn ein Kuß nur die Berührung, nur die taumelnde Lust des Blutes? Meint er nicht auch, meint er nicht vor allem das andere, das Innerlichste? Weist er nicht über sich hinaus, der Kuß und alles Tun zwischen Liebenden?«
»Ach«, sagte ich, »ein Zeichen ist nur ein Zeichen und nicht die Wahrheit und nicht die Wirklichkeit. Warum können sie denn nicht in Wirklichkeit zueinander, deine Seele und meine?«
»Diese Wirklichkeit«, antwortete Dein Vater, »und diese Wahrheitserfüllung gibt es nicht auf unserer Welt. Wir sind Menschen, wir können nur auf die Wahrheit hinweisen mit Gebärden, aber nicht sie dartun. Laß uns nicht undankbar sein! Ist es nicht eine Gnade, daß wir es können?«
»Doch«, sagte ich, »das ist es wohl.« Und dann fügte ich hinzu, indem ich ihm meinen Mund entgegenhob: »Weise mich noch einmal auf die Wahrheit hin, Geliebter, jetzt!«
Und er tat es.

Meine geliebte Tochter, ich dachte, Du würdest noch eine Weile vor dem Schönen und Schrecklichen bewahrt bleiben. Aber nun ist es schon geschehen. Es hat Dich schon in seine magische Sphäre gezogen. Aus den wenigen Worten, die Du mir in Deiner scheuen Art schreibst, erkenne ich, daß Du schon alles weißt, die Wunderbarkeit und die Furchtbarkeit, den Traum und die Verzweiflung, das Schweben und den Tod.

Laß Dich umarmen und festhalten

von Deiner Mutter,

die nun auch Deine Schwester ist.

Sie hält eine Rede

Beim Beginn des Mittagessens setzt Isabel sich kerzengerade hin und bewegt ihre Schultern ein paarmal auf und nieder.

»Jetzt muß ich erst einmal eine kleine Rede halten. Also! Entschuldigt bitte, aber das Labskaus ist etwas zu sauer geworden. Ich hatte nämlich keinen Essig mehr. Und plötzlich hatte ich doch noch welchen. Und da habe ich vor lauter Entzücktheit zuviel hineingegossen. Und überhaupt geht heute alles ein bißchen durcheinander, weil ich braune Kuchen und Spekulatius backe. Es gibt infolgedessen kein Kaffeetrinken heute, oder vielmehr es gibt heute Kaffeetrinken und Abendessen in einer Person. Und dann lassen wir die Küche einfach verrecken und drücken sie morgen früh Frau Schlobohm in die Hand. Gesegnete Mahlzeit!«

Sie gibt jemandem zu trinken

Auf seiner Wanderung über das vereiste Moor ist Andreas tüchtig durchgefroren. Deshalb möchte er gern einen wirksamen Schuß Rum in seinen Nachmittagstee haben. Aber wie er die Flasche aus dem Eckschrank holt, stutzt er und sieht Isabel an. »Wenn ich nicht wüßte, was ich weiß, könnte ich einen fürchterlichen Verdacht schöpfen.«

Obwohl der Zucker sich längst aufgelöst hat, rührt Isabel unentwegt in ihrer Tasse herum. »Jaja, was Ehegatten so zu wissen glauben.«

»Im Ernst, Isabel, das ist doch nicht die Rumflasche, die ich gekauft habe. Ich nehme immer Clipper-Rum. Diese Marke kenne ich überhaupt nicht.«

Isabel führt gemächlich ihre Tasse zum Munde, trinkt ein Schlückchen und sagt, ohne die Tasse niederzusetzen: »Es gibt nämlich außer euch Männern auch noch andere Geschöpfe auf Gottes Erde, denen der Rum einen Auftrieb und eine Freude verleiht. Sie müssen nur erst einmal auf den Geschmack kommen.«

»Du hast doch nicht ...?«

Sie trinkt noch ein Schlückchen: »Doch, ich habe.«

Dann setzt sie die Tasse hin und wendet ihm das zur Seite geneigte Gesicht mit einer kleinen herausfordernden Drehung zu.

Andreas lehnt sich in seinem Sessel zurück. »Aber die andere Flasche war doch noch gut dreiviertel voll, und in dieser fehlt auch schon wieder allerlei. Das kannst du doch nicht allein seit vorgestern ...?«

»Heute. Alles heute.«

»Isabel!«

»Nun mußt du mal hübsch zuhören. Es hat sich begeben, daß sie unten auf Hüneckes Hof die Eichen wegschaffen wollten, die sie gestern gefällt hatten. Mit einem Pferd. Bei zwei Stämmen ging es auch ganz gut. Aber den dritten ... Warum sitzest du denn so unbeweglich da? Schenk dir doch ein!«
»Ja«, sagt Andreas und gießt, nachdem er das Schild noch einmal mit mißtrauischen Augen betrachtet hat, so viel Rum in seine Tasse, daß sie fast überläuft. »Aber den dritten?«
»Aber den dritten Stamm bekam das Pferd nicht heraus.«
»Wo heraus?«
»Er war in den Teich gefallen. Und der Teich hat doch so steile Ufer.«
»Eine alte Lehmkuhle«, sagt Andreas. »Da haben sie früher Lehm gegraben.«

»Ach so! Und das Pferd zog und zog. Und Hünecke brüllte, und der alte Monsees brüllte auch und knallte mit seiner Peitsche. Dadurch wurde ich ja erst auf den Tumult aufmerksam, durch das Geknalle und Geschrei. Ich stellte mich ans Fenster und sah zu. Und das Pferd tat ja auch, was es konnte, es nickte mit dem Kopf und legte sich vornüber und ruckte und zog. Aber die Hufeisen rutschten immer wieder auf dem gefrorenen Boden aus. Und schließlich wurde es ganz durchhin und sprang vorn hoch und schob sich zurück. Und je lauter Monsees mit der Peitsche knallte, um so mehr schob es sich zurück. Und mit einem Male fiel es auf die Seite und rutschte das Ufer hinunter und brach durchs Eis, mit seinen zappelnden Hinterbeinen, und da lag es bis an die Brust im Wasser. Vielleicht wäre es ja, wenn es sich nicht vorher schon so angestrengt hätte, wieder herausgekommen. Aber jetzt konnte es einfach nicht mehr. Es kratzte mit seinen Vorderhufen ein bißchen auf dem Ufer herum, es versuchte auch, sich aufzubäumen, aber seine Kraft war erschöpft. Und wenn Hünecke es am Zügel riß, warf es den Kopf zurück und wollte nicht mehr. In ihrer Verzweiflung schlugen und traten sie es, daß ich nicht mehr hinsehen mochte. Aber sie erreichten nicht das geringste damit, obwohl sie die Zugketten ausgehakt hatten. Es lag nur da und rührte sich nicht. Ich dachte, es stürbe. Stell dir nur das eiskalte Wasser vor! Und es ging ihm doch bis hierher. Da kam mir deine Rumflasche in den Sinn, weil du ja auch immer, wenn du so richtig durchgekältet bist, heißen Rum trinkst.«

»Genaugenommen«, sagt Andreas, »Rum mit heißem Wasser und Zucker.«

»Aber die Hauptsache ist doch der Rum.«

»Allerdings.«
»Siehst du. Und da habe ich die Rumflasche in einen Eimer geleert und etwas heißes Wasser dazugetan und Zucker. Und dann bin ich zu dem Pferd hinuntergelaufen. Hünecke meinte, ich sei wohl ganz von Gott verlassen, und Monsees wollte das Getränk erst einmal probieren. Aber ich habe mich weiter gar nicht um sie gekümmert und den Eimer dem Pferd gleich unters Maul gehalten. Zuerst tauchte es nur seine Lippen hinein, ohne zu trinken. Als ich jedoch den Eimer ein bißchen bewegte, daß der Rum hin und her schwappte und so richtig duftete, fing es an zu schlürfen. Es war so ein gutes Pferd. Die Mähne hing ihm über die Augen. Und dann schlürfte und schlürfte es, bis es nichts mehr aus dem Eimer herausbekam. Den Rest hat Monsees ausgetrunken. Plötzlich klappte es die Oberlippe hoch, daß die großen gelben Zähne sichtbar wurden, und warf sich erst so herüber und dann so herüber. Ich konnte gerade noch zurückspringen. Sein Leib zuckte und wogte, das Wasser rauschte, das Eis krachte, und so arbeitete es sich heraus. Und als es draußen war, sprang es immer noch wogend herum, bis Hünecke den nachschleifenden Zügel ergriff und es bändigte. Du kannst dir wohl denken, wie froh er war. Er brachte es gleich in den Stall und rieb es trocken und legte ihm zwei Decken über. Und dann hat er sich bei mir bedankt und mir diese Flasche Rum mitgegeben, damit ich, wie er sich ausdrückte, keinen Schaden nähme. Ja, so war es also.«
Andreas faltet die Hände hinter seinem Nacken und schüttelt den Kopf gegen die Zimmerdecke: »Nun sag mir einer, nun sag mir einer, was für ein Menschenkind du bist!« Dann läßt er die Arme sinken und fragt Isabel, ob

Hünecke ihr denn eine angebrochene Flasche in die Hand gedrückt hätte.
»Nein, sie war funkelnagelneu. Aber weil das Pferd nach dem Trinken so gelacht hat mit seiner Oberlippe und mit seinen Zähnen, dachte ich, ob ich mir nicht auch einmal so etwas Fröhliches vergönnen sollte. Und das habe ich dann auch getan. Außerdem war ich mindestens ebenso durchgefroren wie du vorhin, weil ich in der Eile keinen Mantel angezogen hatte, als ich zu dem Pferd hinunterlief. – Du, es tut aber gut, so etwas.«
Andreas faßt nach der Flasche und hält sie schräg. »Ja, das sehe ich.«

Sie bringt Andreas auf einen Gedanken

Sie sitzen am Fenster, Isabel und Andreas, und haben ein unbeschwertes Gespräch miteinander. Die Apfelsinen, die Isabel zurechtmacht, verbreiten einen angenehmen Duft. Draußen schneit es. Und langsam beginnt die winterliche Welt dämmerig zu werden.
Andreas erzählt von dem neuen Buch, das er vorhin zu Ende gelesen hat. Wie Isabel eine Frage stellt, geht er zu dem Bord an der Wand gegenüber und zieht das Buch heraus, um ihr mit den Sätzen des Verfassers zu antworten. Er blättert ein bißchen darin herum und blickt dann auf. Isabels Kopf, der zu drei Vierteln dem Schneetreiben draußen zugewandt ist, hebt sich dunkel von der gedämpften Helligkeit des Fensters ab. Von ihrem Gesicht ist so gut wie nichts zu sehen. Aber der Umriß des verlorenen Profils, diese klare, weich gezogene Linie, die unter dem Haar beginnt, an der Schläfe etwas einsinkt, sich über dem Wangenjoch

wieder hebt, dann diese rührende Bucht gegen den Mund hin bildet und sich schließlich voller Anmut zum Kinn rundet, dieser unbegreiflich leise Ablauf bietet sich ihm so deutlich und bewegend dar, daß er mit dem Buch in der Hand stehenbleibt und kaum zu atmen wagt. Was ist das, denkt er, während ein schmerzliches Rieseln durch seine Brust zieht, wie kann es geschehen, daß eine Linie mich so überwältigt? Ist es der holde Rhythmus, ist es die Vollkommenheit der Führung, ist es die Beseeltheit? Aber was bedeutet das: Beseeltheit? Wie kann eine Linie, eine bloße Linie, beseelt sein? Oder kommt es daher, daß sich mir in diesem Profil die Schöpfung einen Augenblick lang so darstellt, wie Gott sie aus seinen heiligen Händen entlassen hat: rein, ohne Dämonie, selig in sich? Ist es eine Gnade, daß ich einmal in meinem Leben die süße Unschuld dieser Linie wahrnehmen darf? Ist das die Gnade der Liebe?

Da dreht Isabel sich um und sagt, wie sie ihn so unbeweglich dastehen sieht: »Ja?« Sie sagt es mit einem kleinen fragenden Erstaunen.

Aber Andreas geht schweigend zu seinem Stuhl, setzt sich hin und fängt an zu lesen.

ANDREAS

Geschichten um Martins Vater

Dank einer Bausparkasse und der genialischen Rechenkunst, die Andreas ohne weiteres angeboren ist, steht das Haus eines Tages schlüsselfertig da. Die Wände sind mit einem Anhauch von blassem Gelb getüncht, die Fensterflügel leuchten weiß in taubenblauen Rahmen, und obendrauf befindet sich ein graues Pfannendach mit einem Schornstein, der wiederum ein Dach trägt, aber ein kupfernes, nebst einer goldenen Kugel und einem kleinen Blitzableiter. Der Hügelhang duftet nach Föhren, Ginster und wilden Rosen. Wenn man aus dem Wohnstubenfenster blickt, hat man das Moor zu Füßen, das sich mit seinen Torfstichen, Birkenreihen und Wasserzügen bis an den Himmelsrand erstreckt. Schöner könnte es beim besten Willen nicht sein.
Das Haus überdauert das erste Gewitter, den ersten Verwandtenbesuch, den ersten Winter, es überdauert sogar das Einweihungsfest, das Bekannte und Unbekannte mit fast einjähriger Verspätung in sämtlichen Räumen, einschließlich des Kohlenkellers, veranstalten. Ein standfestes Haus. Eines Nachmittags erscheint Onkel Otto aus Hamburg, der sich als ein gewiegter Kenner der Kinderseelen erweist, da er dem sechsjährigen Christoph ein Taschenmesser mit dem Bild eines Segelschiffes und seinem Zwillingsbruder Görge eine Schachtel mit Buntstiften aushändigt. Im übrigen kümmert er sich nicht weiter um sie, sondern läßt sich in einem Liegestuhl nieder und liest vermittels eines Vergrößerungsglases in einem lateinischen Taschenwörterbuch. Das ist seine selige Ferienlust. Eines weiteren Nachmittags begleiten Andreas und Isabel ihn zum Bahnhof, wo er einen Triebwagen besteigt und, mit seiner Baskenmütze winkend, davonfährt.

Wie das junge Ehepaar nach einem zärtlichen Umweg rund um den Hügel das Haus wieder betritt, traut es seinen Augen nicht. Die hellen Wände der Diele sind mit zahllosen violetten Wellenlinien versehen, die sich neben den Treppenstufen nach oben ziehen bis in die Schlafzimmer hinein, wo sie sich über den jeweiligen Betten zu phantastischen Kringeln verschlingen. Eine zweite, gleichermaßen unermüdliche Hand hat aus sämtlichen Kanten der mit Seidenlack gestrichenen Türen und Türumrahmungen fingerlange Späne herausgeschnitten.

»Das ist ja wohl nicht möglich!« stammelt Andreas und wendet die Balkontür des elterlichen Schlafzimmers hin und her, an der beide gewirkt haben, der Buntstift und das Messer, und zwar sowohl innen wie außen. »Unser schönes Haus! Da soll denn doch das blaue Donnerwetter . . .!«

Isabel, die sich zuerst erholt, hat viel zu tun, bis es ihr gelingt, den wut- und racheschnaubenden Andreas zu beschwichtigen. Er müsse, führt sie aus, die Sache auch einmal mit den Augen der Jungen ansehen. Sie hätten das Haus doch verschönern wollen, auf ihre Weise, er solle doch Vernunft annehmen, auf ihre Weise. Man könne sie belehren, daß sie es verkehrt gemacht hätten, aber man könne sie eigentlich nicht für ihre gute Absicht bestrafen. Es sei eben alles relativ.

»Schön«, sagt Andreas, »aber meine Relativität ist die stärkere, und infolgedessen . . .«

»Und infolgedessen«, fällt Isabel ihm ins Wort, »bist du durchaus ungeeignet, diese Angelegenheit in Ordnung zu bringen. Das überlaß nur mir. Du kannst höchstens mal darüber nachdenken, was kleine Jungen eigentlich tun sollen, wenn ein Messer unbedingt schneiden und ein Buntstift unbedingt malen will. Und ferner kannst du darüber nachdenken, ob man sich in einem etwas gebrauchten Haus nicht viel behaglicher fühlt als in einem funkelnagelneuen. Und wenn dir das noch nicht genügt, kannst du auch noch Maler Grotheer anrufen und ihm sagen, er solle die abgeschnitzelten Stellen so bald wie möglich neu lackieren und die Buntstiftstriche ein bißchen überwitschern. Es ist ja alles kein Beinab.«

Während Andreas sich daraufhin wohl oder übel ans Telephon verfügt, macht Isabel sich auf die Suche nach den beiden Jungen. Sie entdeckt sie in der Veranda und kann sie gerade noch davon abhalten, auch hier gewisse handwerkliche Veränderungen vorzunehmen. Dann redet sie des langen und breiten mit ihnen. Und dann schließen sie einen Sonderfrieden.

Am nächsten Morgen stellt Andreas fest, daß er wenig Neigung verspürt, sich seinen schriftstellerischen Papieren zu widmen. Jedesmal, wenn sein Blick auf das Schnitzwerk und die Malkunst fällt, muß er schlucken und schlucken, um das rötliche Flimmern vor seinen Augen zu vertreiben. So läßt er denn den Schreibtisch Schreibtisch sein und geht daran, eine Arbeit auszuführen, die schon längst hätte getan werden müssen. Die Beine des Eßtisches, der noch aus dem Hause seiner Großeltern stammt, sind um gute drei Zentimeter zu lang. Entweder haben die Menschen damals längere Rücken gehabt als die jetzigen oder ihre Stühle waren höher. Wie dem auch sei, heute soll endlich reiner oder vielmehr kurzer Tisch gemacht werden. Er zieht die Stühle weg, kippt den Tisch auf die Seite, mißt mit dem Zentimetermaß an den Beinen herum, denkt nach und setzt schließlich die Säge an.

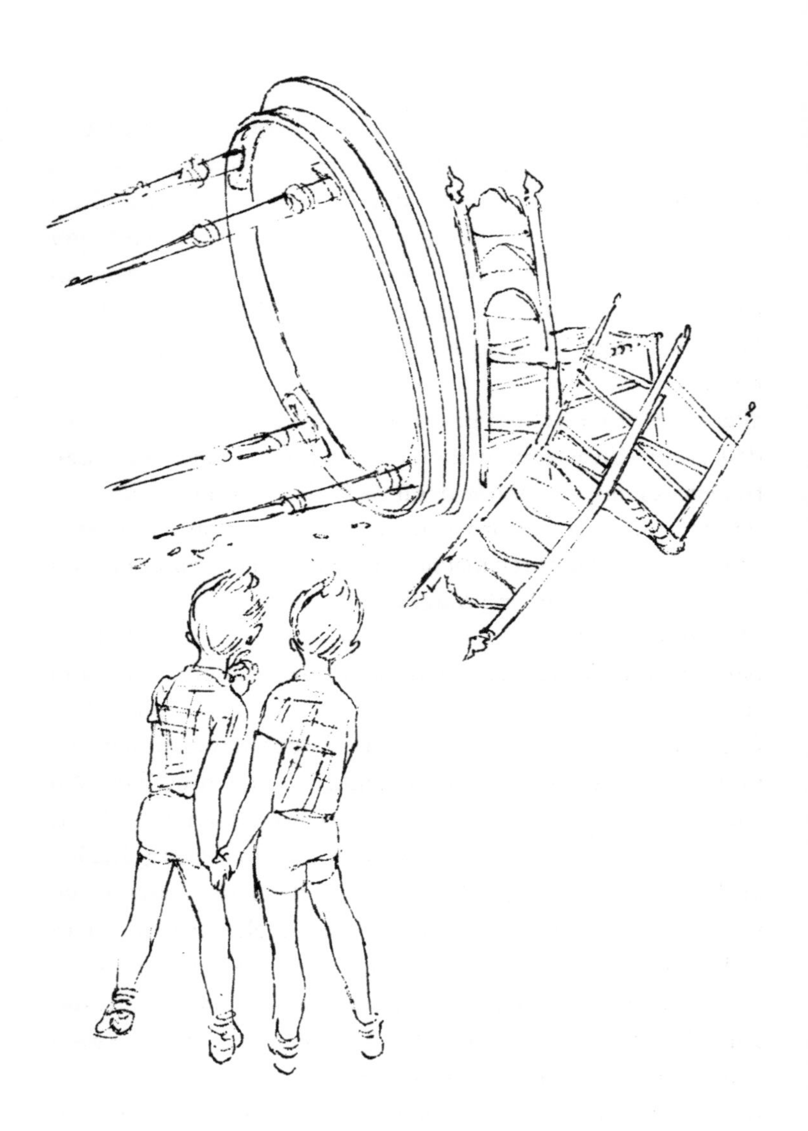

Nach ein paar Minuten schieben sich, angelockt durch das schnarrende Geräusch, das durchs ganze Haus dringt, Christoph und Görge ins Zimmer. Wie sie die Säge erblicken,

die sich spänesprühend in das polierte Holz frißt, fahren sie zurück, wispern miteinander und kommen mit bestürzten Gesichtern näher. Was fällt dem Vater denn ein?
Aber Andreas tut so, als bemerke er sie nicht, und nimmt sich, nachdem das Ende des ersten Beins zu Boden gefallen ist, das zweite vor.
Der umgekippte Tisch, die durcheinandergerückten Stühle, die unerbittliche Säge, die grimmige Miene des Vaters, das alles sieht so erschreckend aus, daß es eine ganze Weile dauert, bis Christoph imstande ist, mit bebenden Lippen zu fragen, warum der Vater denn den Tisch kaputt mache.
Andreas stößt unter unverdrossenem Weitersägen hervor: »Den Tisch? Alles! Ich mache alles kaputt! Das ganze Haus!«
»Nein«, sagt Christoph kläglich.
»Doch. Oder meint ihr, ich hätte noch Lust zu einem Haus, bei dem die Wände und Türen in einem solchen Zustand sind? Nehe!«
Christoph und Görge ziehen die Augenbrauen hoch vor Grausen, sehen sich an und denken beide dasselbe: Wo sollen wir denn bleiben in der Welt, wenn wir kein Haus mehr haben? Dann weichen sie Schritt für Schritt zurück und schlüpfen aus dem Zimmer. Auf der Diele beschließen sie, vor allen Dingen der Mutter die ungeheuerliche Nachricht zu überbringen. Aber wie sie den Kopf durch die offenstehende Küchentür stecken, sehen sie, daß die Mutter auf einem Stuhl sitzt und in ihre Hände, die sie vors Gesicht gelegt hat, hineinschluchzt. Sie scheint demnach schon alles zu wissen. Daß sie in Wirklichkeit nicht schluchzt, sondern hinter ihren Händen nur darüber nachdenkt, was sie tun soll, da sie die Auslassungen des Vaters, die sie mit angehört hat, nicht billigt, können sie freilich nicht ahnen. Sie schleichen

sich, bestürzter noch als zuvor, nach draußen und verschwinden im Garten.
Isabel geht zu Andreas und fragt ihn, ob er sich auch darüber klar sei, was er bei den Jungen angerichtet habe mit seinen Worten.
»Ich habe bei ihnen angerichtet, daß sie sich klar darüber sind, was sie bei mir angerichtet haben. Hoffentlich!«
»Und da wundert sich noch jemand«, seufzt Isabel, »daß die Welt so ist, wie sie ist! Sie wird ja von Männern deines Schlages regiert. Na ja!« –
Wie Christoph und Görge zwei Stunden später dem Ruf zum Mittagessen folgen, bemerken sie zur ihrer Erleichterung und Verwunderung, daß nicht nur die sonstige Einrichtung, sondern auch der Tisch unversehrt dasteht. Dabei sind sie doch mit ihren eigenen Augen Zeugen gewesen, wie der Vater mit der Säge darauflosgewütet hat. Eine merkwürdige Sache.
Beim Austeilen der Nudelsuppe wirft Isabel, die den fragenden Blick der Jungen zu deuten weiß, beiläufig hin, der Vater habe es sich anders überlegt mit dem Hauskaputtmachen.
»Aber wie is denn der Tisch an den Beinen wieder zusammen geworden?«
»Kleinigkeit für unsereinen«, sagt der Vater. »Man fängt übrigens nicht eher an zu essen, Görge, bis Mutter das Zeichen gibt.« Dann wendet er sich Isabel zu: »Nun hat sich Maler Grotheer doch nicht blicken lassen. Es ist aber auch ein Elend mit den Handwerkern. Ich wollte ja nichts sagen, wenn er mir nicht ausdrücklich versprochen hätte, er werde gleich heute morgen an die Arbeit gehen!«
»Doch«, sagt Görge, »er war aber da.«

»War da? Wann denn?«
»Un da stand ich gerade anner Haustür.«
»Und warum ist er nicht hereingekommen?«
»Un da hat er mich gefragt, ob meine Eltern zu Hause wärten.«
»Na und? Wir waren doch zu Hause.«
»Un da habe ich gesagt: ›Die sin zu Hause. Aber gehen Sie man lieber nich 'rein.‹ Un da hat er gesagt: ›Warum denn nich, mein Junge?‹ Un da habe ich gesagt: ›Meine Mutter sitzt inner Küche un weint, un mein Vater haut gerade die Möbeln kaputt inner Wohnstube.‹«
Isabel muß sich schnell die Serviette vor die Nase halten. Ihre Augen glitzern Andreas an.
»Ja, bist du denn von allen Göttern und Menschen . . .?« ruft Andreas und läßt den Löffel, den er schon halb zum Munde geführt hat, mit einem Platsch in die Nudelsuppe sinken. »Und was hat er da um Himmels willen gesagt?«
»Un da hat er um Himmels willen gar nix gesagt. Da hat er nur den Kopf so zwischen seine Schultern geduckt un mit den Händen nach hinten gewedelt.«
»Und dann?«
»Un dann is er ganz leise weggegangen.«

Er leiht sich eine Flinte

Zähneknirschend stürzt Andreas auf die Terrasse, auf der Isabel gerade Linsen ausliest, schlägt die rechte Faust mehrere Male in den linken Handteller und zischt, er könne in die Luft springen vor Ärger.
»Ach du liebe Zeit!« Isabel wischt einen Linsenhaufen von

der Tischplatte in die Schale, die auf ihrem Schoß steht, und blickt unsicher auf. »Hoffentlich bin ich es nicht gewesen!« Wenn Andreas so wild zu ihr kommt, hat sie immer ein schlechtes Gewissen.
»Abgefressen!« ruft Andreas. »Alles! Ratzekahl!«
»Wie schrecklich!«
»Ja. Und das will ich dir sagen, jetzt ist es aus, jetzt schieße ich sie tot.«
»Tu das nur! – Wen übrigens?«
»Ich leihe mir von Hans am Holte die Schrotflinte und schieße sie tot. Heute nacht. Oder vielmehr morgen früh. Das wäre ja noch schöner.«
»Wäre es auch. – Und nun sag mir mal, von wem du sprichst!«
»Von den dreimal verdammten Wildkaninchen!«
»Was hast du denn nun wieder gegen die kleinen niedlichen Wildkaninchen mit den kleinen niedlichen Schwänzchen?«
»Ich habe gegen sie, daß sie nicht nur mit kleinen niedlichen Schwänzchen, sondern auch mit großen gierigen Satanszähnen versehen sind, am anderen Ende.«
»Womit sollen sie denn sonst essen? Du mußt nicht immer gleich so ungerecht sein. Komm, setz dich auf den Stuhl da und hilf mir ein bißchen! Und daß du dich nicht unterstehst, den Wildkaninchen etwas zu tun!«

Andreas setzt sich an den Tisch und tupft mit seinen beiden Zeigefingern in dem Linsenhaufen herum, den Isabel ihm zuteilt. »Ungerecht? Ist es vielleicht gerecht, daß sie von meinen schönen Stauden nichts übriggelassen haben? Alles abgefressen, alle Triebe! Dafür habe ich mir nun so viel Mühe gegeben, mit Dünger und Kompost und Torfmull.

Jede Staude hatte den Winter überstanden, ohne Schaden zu leiden. Überall schossen die Triebe gesund und kräftig hervor. Und nun in einer Nacht weg! Vollständig weg!« Andreas haut auf den Tisch, daß die Linsen in die Höhe springen. »Bis auf den Wurzelansatz weg!«
»Nein, das dürfen sie nicht«, sagt Isabel und fegt die Linsen mit ihrer Handkante wieder zusammen.
»Vielleicht belehrst du sie mal, diese Mörder und Banditen! Es hat keinen Zweck mehr, daß ich noch im Garten arbeite. Ich komme mir ja geradezu komisch vor. Natürlich tu' ich ihnen was. Ich schieße sie mausetot, alle miteinander!«
»Kannst du es nicht erst einmal im guten mit ihnen versuchen? Ich meine mit Maschendraht oder so.«
»Habe ich doch schon. Ich habe an der ganzen Hecke entlang Maschendraht gezogen und ihn sogar einen halben Meter tief in die Erde gegraben. Der Satan mag wissen, wie sie da durchkommen. Wahrscheinlich können sie zaubern. Aber morgen früh stehe ich um fünf Uhr auf und bringe sie um!«
»Du, ich stehe auch auf.«
»Das wird die Kaninchen nicht retten.«
»Wollen mal sehen.« –
In der ersten Morgendämmerung des nächsten Tages legt Andreas, angetan mit einem Trainingsanzug, die geladene Flinte auf die Fensterbank der Bibliothek, öffnet den linken Flügel einen Spaltbreit und läßt sich auf einem Stuhl nieder, den er mit dem Fuß heranzieht. Es dauert nicht lange, da gleitet Isabel mit schlafverhangenem Gesicht gleichfalls herein. Sie hat sich einen Bademantel um die Schultern gelegt und duftet leise nach sich selbst.
»Sind schon welche da gewesen?«

Andreas schüttelt den Kopf und späht nach der Hecke hinüber, die den Garten gegen den Sandweg abgrenzt.
»Hoffentlich kommen sie nicht!« flüstert Isabel.
»Die kommen schon.«
»Aber es sind ja gar keine Stauden zum Essen mehr da.«
»Doch. Den Rittersporn und den Goldrausch vor der Mauer mit dem Pfirsichspalier haben sie bislang noch verschont. Es wird aber nicht mehr lange dauern. Ruhig mal!«
Sie neigen sich gegen die Scheibe und sehen hinaus. Aber

draußen regt sich nichts. Es ist die Stunde der Wesenlosigkeit. Das Wachstum stockt, der Wind schläft noch, die Eichen und Föhren stehen wie benommen da, ein bleiernes Schweigen liegt über der Welt.
In der Tiefe der Hecke webt noch ein wenig Dunkelheit. Schwarz spreizen die Pfirsichbäumchen ihr Gezweig vor der fahlen Stützmauer. Die sprießenden Rittersporn- und Goldrauschstauden sehen wie flache hellgrüne Hügelchen aus. Neben dem Beet senkt sich der Garten in zwei Rasenterrassen zum Föhrenwald hinab.
»Es war nichts«, sagt Andreas und setzt sich wieder auf seinem Stuhl zurecht.
Nach einer Weile streicht Isabel mit dem Zeigefinger über die Flinte. »Ein abscheuliches Ding!«
»Vorsicht! Sie ist geladen.«
»Wo denn? Ich meine, wo sitzt die Kugel denn und das Pulver?«
»Bitte leise! – Kaninchen werden nicht mit der Kugel, sondern mit Schrot geschossen. Die Patrone steckt an dieser Stelle. Wenn ich den Abzug hier unten zurückziehe, geht der Schuß los. Die meisten Flinten haben zwei Läufe, damit man gleich zweimal hintereinander schießen kann. Aber dies ist eine altmodische mit nur einem Lauf.«
»Und wie macht man es, daß man trifft?«
Andreas klappt den Lauf herunter, nimmt die Patrone heraus und zeigt Isabel, wie man über Kimme und Korn visiert.
»Angenommen, du wolltest den kleinen trockenen Zweig an dem Föhrenstamm da drüben treffen, den unteren, der einen Knick hat, dann mußt du dein Auge, die Kimme, das Korn und den Zweig in eine Linie bringen und dann abdrücken.«

»Laß mich mal!«
Die Mündung des Flintenlaufs beschreibt, wie Isabel zu zielen versucht, die seltsamsten Figuren. Wenn sie das Korn ins Auge faßt, sieht sie den Zweig nicht. Achtet sie auf den Zweig, dann verschwimmt das Korn. Und außerdem soll sie noch an die Kimme denken.
»Das ist ja schrecklich schwer, du.«
»Knie dich mal auf den Fußboden und leg den Lauf auf die Fensterbank! Dann geht es leichter. Augenblick! Du mußt den Kolben nicht vor die Brust, sondern gegen die Schulter setzen. So! Nein, noch mehr! Richtig gegen die Achsel. So, ja.«
Aha, nun kommt Isabel dahinter! Sie meint, wenn sie jetzt abdrückte, würde es um den Zweig geschehen sein. »Ich habe alles gut in der Reihe. Nein, warte! Wo ist denn ...? Ach so! Jetzt!« Sie reißt den Abzug zurück und sagt leise: »Bautz!« Dann blickt sie auf. »Wie viele Patronen hast du eigentlich bei dir?«
»Drei. Aber ich werde wohl nur einmal, höchstens zweimal zum Schuß kommen.«
»Dann könntest du mir eigentlich eine abgeben. Ich möchte gern einmal richtig losballern, daß der Zweig in tausend Stücke fliegt.«
»Mit dem Ballern ist es nicht getan, du mußt ihn auch treffen.«
»Ich treffe ihn schon. Paß mal auf, wie ich ihn treffe!«
»Wenn ich mit den Kaninchen fertig bin, darfst du auch einmal.«
»Au fein! Aber im Ernst, du.«
»So ein Gewehr muß es doch in sich haben«, sagt Andreas mit nachdenklichem Kopfschütteln. »Die reine Magie. Im

Handumdrehen hat es aus einer Friedenstaube eine ... Was ist das?« Er zieht den Kopf ein und legt seine Hand auf Isabels Arm. »Nicht bewegen!«
Im Fallaub und vertrockneten Gras der Hecke raschelt es. Ein Schatten huscht hinter dem Maschendraht hin, verhält und huscht weiter.
Ganz langsam streckt Andreas, ohne die Augen von dem Schatten zu lassen, seine Hand nach der Flinte aus, lädt sie wieder und schiebt den Lauf durch den Fensterspalt. Hinter ihm holt Isabel zitternd Atem.
Da richtet sich der Schatten auf, als wolle er an dem Maschendraht emporklettern. Und mit einem Male zappelt er in einer Masche und schlenkert und windet sich, bis er auf der anderen Seite herunterfällt. Und da ist es ein schwarzes Wildkaninchen. So rußschwarz, als sei es gerade durch ein Ofenrohr gekrochen. Nur die Ohren schimmern innen ein wenig heller.
»Hast du das gesehen?« haucht Andreas. »Dabei sind die Maschen nicht größer als so.« Vor lauter Verblüffung bildet er mit Daumen und Zeigefinger einen so kleinen Kreis, daß nicht einmal ein Sektkorken hineinpassen würde.
Aber Isabel hört nicht zu. Ihre Augen, die auf das Kaninchen starren, werden schmal und wild. Ihr Kinn drängt sich etwas vor, ihre Lippen öffnen sich.
Nachdem das Kaninchen sich aufgesetzt hat, kratzt es sich mit dem rechten Hinterlauf blitzschnell unten am Hals. Dann springt es in die Höhe, als habe eine Ameise es gebissen, wirft sich herum und huscht mit gesenkten Ohren auf den Rittersporn zu.
»Jetzt!« stößt Isabel flüsternd hervor. »Du! Los doch!«
»Was?« gibt Andreas flüsternd zurück.

»Schieß doch! Jetzt!«
»Du bist ja gut. Mal so und mal so.« Andreas weiß beim besten Willen nicht, was er von Isabel halten soll.
»Mal so und mal so?« flüstert sie. »Du bist mal so und mal so. Du!«
Unterdessen ist das Kaninchen beim Rittersporn angekommen. Es entblößt die Vorderzähne und läßt die Nase auf und nieder schnuppern. Offenbar will es erst einmal den Duft genießen, den die hellgrünen Triebe ausströmen. Seine Ohren, die sich aufgestellt haben, wenden sich dahin und dorthin. Wie fest steht, daß nichts Verdächtiges zu hören ist, legt es den Kopf schräg und beginnt zu äsen.
Isabel sieht Andreas von der Seite an. Er scheint es aber nicht zu bemerken, sondern beobachtet unverwandt das schwarze Kaninchen auf dem Staudenbeet. Höchstens, daß er, wie Isabel fortfährt, ihn anzusehen, ein bißchen blinzelt.
Das Kaninchen sitzt da und hat einen Rittersporntrieb wie eine Zigarette im Munde. Man könnte meinen, es rauchte und dächte über etwas nach. Wer kann sagen, was sich in seinem Kaninchenkopf ereignet?
Isabel hält es für richtig, Andreas vorsichtig anzustoßen. Er zuckt mit den Schultern und zischelt, ob sie denn nicht sehe, daß es gerade esse. »Nun laß es doch erst einmal sein Dings da aufessen!«
Nunmehr schlürft das Kaninchen die Zigarette wie einen kleinen Spargel mit genüßlich mümmelnden Bissen ein. Der zarte Kopf der Delikatesse verschwindet allerdings zuletzt. Dann folgt ein neuer Spargel und dann noch einer. Dies getan, hoppelt es beiseite, kuschelt sich wohlig auf den sandigen Boden und streckt die Vorderläufe steif nach vorn und die Hinterläufe nach hinten, so daß der Rücken sich

durchbiegt und die Schwanzquaste nach oben weist. In dieser Lage schiebt es sich, bald die rechte, bald die linke Flanke an den Boden schmiegend, unter Zappeln und Schütteln näher an das Fenster heran. Wie es bei der Rasenkante angelangt ist, setzt es sich hin und duckt den Kopf ins Gras. Andreas kann die hellbraunen, etwas vorgewölbten Augen erkennen, die starr vor sich hin blicken.

Wieder gibt Isabel ihm einen Stups.

Aber Andreas empört sich dagegen, daß er es totschießen solle, während es ihn so traurig ansehe. Außerdem habe man nicht jeden Tag ein Wildkaninchen so nahe vor sich, dazu noch ein schwarzes. »Wenn du es nicht abwarten kannst, dann schieß doch selbst!«

Er rückt beiseite und überläßt Isabel die Flinte. Und sie, als handele es sich um die selbstverständlichste Sache der Welt, legt wahrhaftig an und zielt. Da muß Andreas ihr die Flinte natürlich wegnehmen. Sie ist imstande und bringt das ahnungslose Kaninchen ins Unglück. Isabel will die Mordwaffe jedoch nicht hergeben. Lautlos ringen die Hände um ihren Besitz. Der Lauf schwankt hin und her. Und plötzlich fährt die Schrotladung heraus. Poff!

Wie ein Strich rast das Kaninchen nach der Hecke, zuckt zur Seite, rast weiter, zuckt abermals zur Seite, springt gegen den Maschendraht, schlenkert eine Sekunde darin herum, fällt drüben hinunter und ist verschwunden.

»Wenn es so einen Schrecken gekriegt hat wie ich«, sagt Isabel, »dann kommt es nicht wieder.«

Andreas meint, solange die beiden letzten Stauden nicht abgeknabbert seien, gebe es keine Ruhe. »Aber jetzt weiß ich auch, was ich zu tun habe.«

»Was denn?«

»Ich schneide ein richtiges Loch in den Maschendraht, damit es sich nicht mehr so abzuzappeln braucht. Sonst ist es ja die reine Tierquälerei.«

Er ist ratlos

Weil der Maiabend so warm ist, lassen Andreas und Isabel sich noch ein halbes Stündchen auf der Bank nieder, die unter dem vorspringenden Hausdach steht. Vor ihnen schimmert ein blühender Apfelbaum durch die diesige Dämmerung. Er hat seine rosa Kelche erst heute morgen geöffnet. Der Dufthauch, der dann und wann herüberweht, ist noch frisch und süß. Von den beiden hochragenden Birnbäumen weiter hinten, deren schneeige Pracht sich dem Ende zuneigt, taumeln schon, mehr zu ahnen als zu sehen, einige Blütenblätter herab.

Anfangs flüstern die beiden Eheleute noch ein wenig miteinander, dann schweigen sie. Aus dem verhüllten Himmel sickert es wie Nebel herab. Isabel schiebt ihre Hand unter den Arm von Andreas und lehnt sich an ihn. Wie das Sickern dichter wird, entsteht im Apfelbaum ein zartes Getupfe und Getropfe. Es regnet.

»Mag ich gern«, sagt Isabel. »Du auch?«

Andreas meint, er habe nie verstehen können, warum die meisten Menschen unwillig seien, wenn es regne. So das weiche Geräusch, die Verschleierung, das gebrochene Licht, der neue Duft, das alles habe doch einen wundersamen Zauber. Regnen und segnen gehöre für ihn zusammen, und gewiß nicht nur des Reimes wegen. Wenn es auf diese gelinde Weise regne, fühle er besonders eindringlich, wie tief er die Welt liebe.

»Gehöre ich auch zur Welt?« fragt Isabel, indem sie sich noch enger an ihn drängt. Als Antwort schiebt Andreas seine Hand auf die ihre und umfaßt sie mit den Fingern. Isabel läßt einen hohen, singenden Ton durch die Nase hören, der bedeutet, daß sie die Antwort verstanden habe und glücklich sei. Ihre kleine Hand kuschelt sich in die große, die sich über sie gewölbt hat.

Wie gut ist dies, denkt Andreas, diese Stunde des Beieinanderseins, dies Wunder des Vertrauens! Ein Menschenkind gibt sich, obwohl es meine Fragwürdigkeiten und Dunkelheiten kennt, bedenkenlos in meine Obhut. Obwohl? Vielleicht muß es ja »weil« heißen. Weil Isabel weiß, wie sehr ich der Nachsicht, der Hilfe, des Verzeihens, der Liebe bedarf, vertraut sie sich mir an. Kann man einem anderen inniger helfen als durch Vertrauen? Wenn irgend etwas auf dieser Erde mich über mich selbst hinausgetragen, mich bewegt, mich immer wieder aus den Entmutigungen gerettet hat, dann ist es dies Vertrauen gewesen. Mißtrauen drückt zu Boden, Vertrauen richtet auf. Weil Isabel sich geborgen weiß bei mir, weiß auch ich mich geborgen bei ihr. Wie sehr gehören wir doch zusammen, wir zwei, für Zeit und Ewigkeit!

Mit wohligem Seufzen löst Isabel sich von ihm, hebt die Füße, nachdem sie etwas zur Seite gerückt ist, auf die Bank, legt den Kopf auf die Knie von Andreas und streckt sich aus. Ihre Schultern suchen noch einige Male dahin und dorthin, dann rührt sie sich nicht mehr. Andreas beugt sich über sie: »Bist du müde?« Sie schüttelt den Kopf und schmiegt sich fester in seinen Schoß.

Nun hat es sich richtig eingeregnet. Ein stiller, lauer Mairegen fällt. Die Dunkelheit ist von einem gleichmäßigen

Rauschen erfüllt, das vom hellen Gluckern der Dachrinne übertönt wird. Aber der Duft der Apfelblüten hat sich noch verstärkt. Ein kühler Vanillehauch durchdringt den Regenschleier.

Andreas lehnt sich zurück und sieht in die Nacht hinein. Wie ist das mit der Zusammengehörigkeit zweier Menschen, denkt er, und mit dem Geborgensein? Gilt es wirklich für Zeit und Ewigkeit? Für die Zeit wohl. Aber auch für die Ewigkeit? Für die Ewigkeit Gottes, vor die ein jeder Mensch doch in völliger Einsamkeit gefordert wird? »Ich habe dich bei deinem Namen gerufen«, heißt es, »du bist mein.« Es gibt kein Ausweichen, es besteht auch kein Zweifel, wem die Aufforderung gilt, der Name ertönt. Gott kennt und meint und ruft den einzelnen als einzelnen. Und niemand kann den Aufgerufenen begleiten, wenn er vor den Ewigen hintritt. So wird Isabel bei ihrem Namen gerufen und ich bei meinem. Vor Gott sein bedeutet, von allem, auch von dem liebsten und vertrautesten Menschen, getrennt sein; bedeutet, auf sich selbst gestellt sein; bedeutet, rings vom Nichts umgeben sein. Es gibt keine mutterseeleneinsamere Einsamkeit als das Stehen vor Gott.

Unwillkürlich beugt Andreas sich wieder über Isabel und hebt sie langsam mit seinen Knien noch ein bißchen näher an sein Herz. Ihre Augen sind geschlossen, ihr Atem geht ruhig, der Schlaf hat sie überkommen. Wenn ihr Gesicht auch nur ungewiß durch die Dunkelheit dämmert, so kann er doch erkennen, wie schön es sich in seinem Frieden ausnimmt. Er weiß nichts auf der Welt, was ihm so teuer ist wie dies schlafende Angesicht auf seinem Schoß. Unverwandt betrachtet er Isabels Mund und Augen. Und die Gedanken hören nicht auf, durch ihn hindurchzuwandern. Eine große

Bangigkeit preßt ihm die Brust zusammen. Wie ist es denn? denkt er. Da steht nun ein Mensch in seiner Einsamkeit vor Gott. Isabel zum Beispiel. Und Gott hat seine Erwägungen und Ratschlüsse über sie. Und dann kann es doch sein, daß er sie erwählt, während er mich zuvor verworfen hat. Oder, da seine Entscheidungen unfaßbar sind, daß er Isabel verwirft, während er mich erwählt hat, zuvor. Und dann? Was dann? Dann – Gott möge mir verzeihen –, dann will auch ich verworfen sein. Ich will das gleiche auf mich nehmen, das über Isabel befunden ist, es sei, was es sei. Ich will? Ich? Aber hier hat mein Wille ja nichts mehr zu wollen. Gegen diese Entscheidungen gibt es keinen Einspruch. Auch nicht den Einspruch eines liebenden, eines verzweifelten Herzens. Gottes Herrschergewalt ist frei, unbegrenzt, ungebrochen, voller Geheimnis. »Du bist mein«, sagt er, »vorbehaltlos mein. Wenn die Zeit aufgehoben sein wird und die Welt und der Tod auch, dann wirst du begreifen, was es bedeutet, mein zu sein. Jetzt vermagst du es nicht.«
So verhält es sich wohl. Ich vermag es nicht. In meiner Liebe zu Isabel vermag ich die Liebe Gottes nicht zu fassen. In meiner Liebe zu Isabel lehne ich mich auf gegen Gottes Wahrspruch. In meiner Liebe zu Isabel . . .
Da bewegt sich der Kopf auf seinem Schoß, der Mund öffnet sich und beginnt zu stöhnen. Angstvoll und immer angstvoller. Andreas umfaßt die Schlafende behutsam: »Was denn?« fragt er leise. »Was denn?« Sogleich geht das Stöhnen in ein schnelles, erschöpftes Atmen über, das sich allmählich beruhigt. Isabel öffnet die Augen und blickt verwundert um sich.
»Was ist denn?« fragt Andreas noch einmal. »Du?«
Sie schluckt: »Ich habe so schrecklich geträumt. Hach je . . .!

Ein Glück, daß du bei mir bist! Hach je!«
»Nun ist es ja vorbei!«
Isabel schluckt abermals: »Ja. Hach ja. Ich muß erst einmal richtig aufwachen.«
»Was hast du denn geträumt?«
Sie besinnt sich. »Wie es anfing, weiß ich nicht mehr. Ich weiß nur noch, daß ich in einen Zug steigen wollte, in dem du schon saßest. Aber du hattest keine Ahnung, daß ich draußen auf dem Bahnsteig stand, du saßest in einem hell erleuchteten Abteil und unterhieltest dich mit jemandem, den ich nicht sehen konnte. Und da fuhr der Zug auch schon ab. Ich lief nebenher und wollte einsteigen. Aber ich konnte es nicht, weil der Zug schon so schnell fuhr. Und so lief ich auf dem Bahnsteig neben den Wagen her, die lautlos an mir vorbeiglitten. Und ich wußte, wenn ich die Tür des letzten Wagens nicht erwischte, dann war es aus, dann sahen wir uns nie wieder, du und ich. Ich lief und lief, aber ich kam nicht mit, wie sehr ich mich auch anstrengte. Meine Beine waren zu schwer. So geht es einem ja immer, wenn man träumt. Und mit einem Male war der Bahnsteig zu Ende. Ich sprang blindlings hinunter und lief neben den Schienen her. Der Wagen befand sich jetzt so hoch über mir, daß ich das Trittbrett nicht erreichen konnte. Es schwebte an mir vorbei und verschwand zu meinem eisigen Entsetzen in der Nacht. Du glaubst nicht, wie wild und verzweifelt das Entsetzen war, das mich durchdrang. Das Herz blieb mir stehen vor Entsetzen. – Ein Glück, daß du noch bei mir bist! Ach, was für ein Glück! Du darfst mich nie, nie, nie verlassen, Andreas! Hörst du?«
Sie legt ihre Arme um seinen Hals und zieht ihn zu sich herunter. Ihre Gesichter reiben sich aneinander, eins fühlt

mit der Schläfe das klopfende Blut an der Schläfe des andern, ihre Atemzüge vermischen sich.
Andreas blinzelt mit ratlosen Augen in die Finsternis, die voller Duft und Regenrauschen ist. Liebe Isabel, denkt er, liebe, arme Isabel! Wenn Gott sich doch über uns erbarmen wollte!

Er äußert sich über Philosophen

Ehe Martin am Sonntagmorgen auf seinen Stuhl am Frühstückstisch klettert, legt er unter den Augen der ganzen Familie sein neustes Spielzeug neben seinen Teller. Es besteht aus einer nicht mehr ganz sauberen Zwirnrolle mit einem Bindfaden, an dessen Ende ein großer dunkelblauer Mantelknopf befestigt ist.
Andreas erkundigt sich, was das denn sein solle.
»Ich habe mir ein gaanz schönes Ding gemacht«, sagt Martin. »Da kann man mit auf einen Baum klettern und dann den Knopf an dem Bümfaden runterlassen.«
»Wunderbar! Und dann?«
»Un dann is das so schön.«
»Wieso ist das schön?« fragt Görge.
»Dann weiß man, wie tief es da runtergeht.«
»Bei den Bäumen, auf die du dich raufwagst, du Klammeraffe, weiß man das doch sowieso.«
»Aber mit dem Bindfaden«, sagt Andreas, »ist es natürlich viel schwieriger und wissenschaftlicher. Ich glaube, Martin wird einmal ein Philosoph.«
»Machen Flilosofen so was?«
»So etwas Ähnliches jedenfalls.«

Er entdeckt eine Perle

Mit großem Interesse studiert Isabel am Frühstückstisch die Anzeige in der Zeitung, die sie gestern aufgegeben hat. Es handelt sich um einen Ruf nach einer zuverlässigen Hausgehilfin. Andreas mußte sich die verschiedenen Fassungen, die Isabel jeweils unter Backenaufblasen, Seufzen und Stirnkratzen aufsetzte, zwei Tage lang anhören. Seine poetischen Verbesserungsvorschläge wurden teils mit verächtlichen, teils mit nachsichtigen Handbewegungen zurückgewiesen. Nun betrachtet sie also das Ergebnis ihrer Bemühungen und findet, es nehme sich recht gut aus.

»Die Sache ist nur die«, sagt sie zu Andreas, »daß ich auch die Richtige unter denen herausfinde, die sich im Laufe des Tages vorstellen werden. Eigentlich könntest du mir ein bißchen dabei helfen.«

Aber Andreas meint, sie solle erst einmal abwarten, ob überhaupt jemand erscheinen werde. »Heutzutage gibt es für die jungen Mädchen ja nichts Herrlicheres als die Fabrik. Du wirst dich wundern.«

»Wenn keine erscheint, was ich nicht hoffen will, brauche ich mir auch nicht den Kopf zu zerbrechen, welche ich nehmen soll. Aber vielleicht erbarmen sich doch ein paar über mich. Zwei oder drei. Es genügt ja, wenn du einen Blick auf sie wirfst. Ich habe doch so wenig Menschenkennt . . . Da klingelt es schon! Die erste! Ach du meine Zeit!«

Sie eilt zur Tür, dreht sich aber noch einmal um und flüstert, er dürfe sie nicht im Stich lassen. »Bitte, lieber Andreas!«

»Geh nur hin! Ich werde dir nachher schon sagen, welche die Richtige ist. Mir schwebt da so eine Sache vor. Los, los, sie klingelt ja schon wieder!«

Während Isabel sich mit dem vierzehnjährigen, etwas glotzäugigen Menschenkind und der ebenso stämmigen wie redekundigen Mutter in der Bibliothek bespricht, stellt Andreas im Garten eine Gießkanne unter die Wasserleitung, die an einem kurzen Pfosten neben dem Weg angebracht ist, und dreht den Hahn auf. Das Wasser schießt mit dumpfem Geboller in die Kanne. Andreas rückt sie ein wenig zur Seite, so daß der Strahl knapp danebengeht. Dann verbirgt er sich hinter den Himbeeren.

Nach einer Weile verlassen Mutter und Tochter das Haus. Wie sie an dem danebenrinnenden Strahl vorbeigehen, meint die Mutter, sie hätten ruhig vierzig Mark verlangen sollen. Oder wenigstens fünfunddreißig.

»Jetzt ist es zu spät«, sagt die Tochter. »Du bist ja immer so betorft.«

Andreas kommt hinter den Himbeeren hervor, schließt den Hahn und schlendert zu Isabel hin, die in der Haustür sichtbar wird. »Also von dieser«, sagt er, »möchte ich dir abraten.«

Im Laufe des Vormittags muß er das gleiche noch viermal sagen. Übrigens hört er hinter den Himbeeren auch dies und das, was nicht für seine Ohren bestimmt ist und eben deshalb tiefen Eindruck auf ihn macht.

Dann geschieht es.

Die sechste, die weder von einer Mutter noch von einer Schwester noch von einem Verlobten begleitet wird, eine Schwarzhaarige mit bräunlichem Gesicht und weichem, leicht schiebendem, zigeunerischem Gang, die sechste geht ohne weiteres auf den Wasserhahn zu, bringt die Gießkanne, nachdem sie sich suchend umgesehen hat, in die richtige Stellung, läßt sie vollaufen und dreht den Hahn ab. Dann geht sie weiter.

Da sie die einzige bleibt, die sich der Gießkanne annimmt, und da Andreas seinen Kopf verschwört, diese und keine andere müsse es sein, entschließt Isabel sich, es mit ihr zu versuchen. Sie heißt übrigens wahr und wahrhaftig Estella mit Namen, Estella Junkhuhn.

Im Laufe der nächsten Wochen erweist es sich, daß Estella zu den sogenannten Perlen zählt. Tag für Tag wartet sie mit einer neuen schönen Eigenschaft auf. Sie wischt Staub, daß es einfach nicht zu beschreiben ist, sogar auf der Unterseite des Cembalos. Sie kann Vanillebrezelchen backen, die einem vor Mürbigkeit auf der Zunge zergehen. Sie singt die beiden hibbeligen Jungen abends in drei Minuten in den Schlaf. Sie ist beim Schlachter, Krämer und Gemüsehändler in einer Weise auf den Vorteil der Familie bedacht, daß Isabel es nicht besser machen könnte. Und wie ein Jugendfreund von Andreas über Nacht bleibt und anderntags beim Abschied zwei Markstücke in ihre Hand legt, reicht sie eins sogleich an Isabel weiter, da sie, Isabel, ja mindestens ebensoviel Arbeit von dem Gast gehabt habe wie sie selbst. Nur mit der größten Mühe gelingt es Isabel, ihr das Markstück wieder aufzudrängen.

»Perlissima«, sagt Andreas, wie er es hört, und lehnt sich befriedigt in seinem Sessel zurück. »Du solltest dich immer auf deinen Mann verlassen. Wenn unsereins sich mit so etwas befaßt, muß es ja gelingen.«

»Tatsächlich«, gibt Isabel zu. »Du hast mich gut beraten. Und ich will ihr Gehalt auch vom nächsten Ersten an um fünf Mark erhöhen.«

Aber dann kommt der Tag und der Augenblick, an dem Isabel sich mit einem gebrochenen Schluchzer an die Brust von Andreas wirft: »Sie stiehlt, Andreas! Sie stiehlt! Deine Perle!«

»Das ist ja wohl nicht möglich«, sagt Andreas. »Wieso übrigens meine Perle?«
»Sie stiehlt!« flüstert Isabel gegen seinen Pullover. »Und sie hat es selbst zugegeben.«
»Was stiehlt sie denn so zum Beispiel?«
»Alles mögliche: Seife, Scheuerlappen, Apfelsinen, Schokolade.«
»Na, es könnte schlimmer sein.«
»Wieso?«
»Sie könnte zum Beispiel an deinen Wäscheschrank gegangen sein.«
Isabel löst sich von Andreas und starrt ihn mit einem teils weinenden, teils sich erheiternden Gesicht an: »Du hast es offenbar noch nicht richtig begriffen. Sie stiehlt nicht von uns, sondern für uns. Für dich und mich. Weil wir doch so rechnen müßten, sagt sie. Und der Kaufmann merke es doch überhaupt nicht. Er habe doch so viel von allem. Die Apfelsine, die du heute morgen zum Frühstück gegessen hast, war gestohlen. Von deiner Perle.«
Andreas fängt an zu lachen: »Haha!« lacht er. »Wenn man es sich überlegt, dann ist sie trotzdem eine Perle. Nur leider eine schwarze.«

Er findet etwas merkwürdig

Zuerst hockt Isabel allein in den Erdbeeren. Dann kommt Martin, einen abgebrochenen Ast hinter sich herziehend, vorbei und erklärt sich bereit, beim Pflücken zu helfen. Und zuletzt gesellt sich auch Andreas noch hinzu. Aber Isabel hat wenig Freude an den beiden. Sie muß sie immer wieder

ermahnen, wenigstens hin und wieder ein paar Beeren in die Schüssel zu tun.
Mit einem Male sagt jemand neben ihnen: »Die Post! Guten Morgen!« Briefträger Brünjes schwenkt eine Handvoll Drucksachen und Briefe. »Und ein Einschreiben ist auch dabei.«
Wie Andreas den Zettel mit klebrigen Fingern unterschreibt, weist Herr Brünjes eine Nagelbürste vor, die schon ziemlich

abgenutzt ist, und fragt, ob sie hierhergehöre. Er habe sie vor der Gartentür gefunden.
»Mein Siff«, ruft Martin. »Das is mein Siff inner Badewanne.«
»Hier, mein Junge«, sagt Herr Brünjes und überreicht ihm die Bürste.
»Dankä!«
»Bitte! Du bist aber ein braver Junge. – Wiedersehen!«
»Wiedersehen, Herr Brünjes! Schönen Dank auch unsererseits! Mögen Sie ein paar Erdbeeren?«
»Bin so frei. Mm! Wie Zucker! Auf Wiedersehen!«
Andreas sagt, er wolle Martin morgen, wenn er nach Bremen fahre, ein richtiges Schiffchen mitbringen, mit einem kleinen Segel. »Wirf diese räudige Angelegenheit mal in die Abfallgrube!«
Aber Isabel streckt die Hand aus: »Nein, gib her! Das ist doch mein Festmacheding für den Fensterflügel im Badezimmer, an dem der Haken fehlt. Das brauche ich doch, damit das Fenster nicht zuschlägt.«
»Merkwürdig«, sagt Andreas und betrachtet gedankenvoll den spärlich beborsteten Gegenstand. »Brünjes nennt dies Stück Holz eine Nagelbürste. Martin sagt, es sei ein Schiff. Und du sprichst von einem Festmacheding. Was ist es denn nun in Wirklichkeit? Gibt es für dasselbe Objekt drei oder noch mehr oder sogar unendlich viele Wirklichkeiten? Sind Namen Wirklichkeiten? Wird ein Ding durch einen Namen verwandelt? Hat ein Name Zauberkraft?«
»Und was stellt es für dich dar?« fragt Isabel.
»Für mich? Für mich ist es zum Beispiel der mittlere Teil eines vertrockneten Riesentausendfußes.«

Er versteht sich mit Martin

Estella verbringt ihren Urlaub im Bayernland. Eine Freundin, von der Andreas allerdings glaubt, daß sie mit Vornamen Ferdinand heißt, hat sie überredet, sich einer Reisegesellschaft anzuschließen. So muß Isabel denn vierzehn Tage lang den Haushalt allein bewältigen. Da sie aber geschickte Hände und einen genauen Verstand hat, macht es ihr weiter nichts aus. Hin und wieder hält sie Andreas an, auch ein bißchen zuzugreifen. Und heute muß er sogar von morgens bis abends die Verantwortung für das Hauswesen übernehmen, denn sie will ihre Mutter, die seit zwei Tagen in einem Bremer Krankenhaus liegt, besuchen und dann noch einige Besorgungen erledigen. Das Mittagessen ist vorgekocht. Andreas braucht es nur, wenn Christoph und Görge aus der Schule kommen, noch warm zu machen. Die beiden Jungen und Viola können sich selbst helfen. Um Martin, der mit seinen sechzehn Monaten bei Tisch noch einer fütternden Hand bedarf, muß er sich allerdings ein wenig kümmern. Isabel hofft zuversichtlich, daß er es schafft. Wenn ihm dennoch etwas danebengerät, dann kann sie's auch nicht ändern. Sie trifft die Mutter bei besserem Befinden an und erledigt die Einkäufe schneller, als sie gedacht hat, so daß es ihr noch gelingt, den Nachmittagszug für die Rückfahrt zu erreichen. Wie sie zu Hause ankommt, will die Familie gerade mit dem Abendbrot beginnen. Andreas hat Martin auf dem Schoß. Vor ihnen steht auf einem kleinen Wachstuch ein Teller mit Grießbrei, den Viola mit einem Kranz von roten Geleestückchen verziert hat.

»Schön, daß du da bist«, sagte Andreas. »Du sollst gleich einmal sehen, was Martin alles gelernt hat.«

»Da bin ich aber mal neugierig.«
»Du meinst, er sei noch zu klein, um seinen Teller selbst leer zu essen? Keineswegs. Ich habe es ihm heute mittag beigebracht. Im Handumdrehen. Er ist wirklich ein ausnehmend kluges Kind. – Nicht wahr, Martin? Wir Männer, nicht wahr? Wir verstehen uns, was? Nun iß mal schön!«
Martin zeigt, sich halb herumdrehend, mit dem gefüllten Löffel erst auf Andreas, wobei das väterliche Gesicht in Mitleidenschaft gezogen wird, und dann auf ein Bild am Rande des Tellers:
»Da isse Ssssweinchen!«
»Mußt du nicht!« ermahnt Andreas ihn mit ungewohnter Sanftheit und tupft sich den Brei aus den Augen. »Schön essen! – Das hat er übrigens auch gelernt, das mit dem Bild. – Martin, wie heißt das Tierchen hier?«
Damit Martin das neue Wort besser aussprechen kann, läßt er den Brei, den er mittlerweile in seinen Mund gelöffelt hat, erst einmal wieder herauslaufen. Dann sagt er: »Sssweinchen.«
»Selbst ein Schwein!« ruft Görge. »Oh, was ist das für ein Ferkel!«
»Sei du nur ruhig!« sagt Andreas. »Als du damals lernen solltest, Spinat zu essen, mußten wir nachher das Zimmer neu tapezieren lassen. – Nun mal ganz schön, Martin! Nun mal ein Löffelchen für den kleinen Piepvogel, der vorhin in der Veranda war.«
Voll guten Willens taucht Martin den Löffel in den Brei, hebt ihn hoch und sagt in singendem Ton: »Un aiiin für Pitakooogel.«
»Jaaa . . .« Andreas ahmt das Singen mit hoher Stimme nach. »Und einen für . . . Steck doch den Löffel in den Mund! Ach

je!« Schnell zieht er den Teller heran, um den Brei aufzufangen, der von dem schräggehaltenen Löffel herabrinnt. Isabel und Viola sehen sich an, wie nur zwei Frauen sich ansehen können.
Während Andreas sich darüber verbreitet, daß ein Erzieher es immer schwer habe, die Ergebnisse seiner Bemühungen anderen vorzuführen, hält Martin, weil der Teller gerade so schön nahe ist und weil er doch endlich zu seinem Essen kommen muß, den Mund an den Rand und versucht soviel Brei wie irgend möglich in sich hineinzuschaufeln. Das dabei die Hälfte danebengeht, kümmert ihn weiter nicht. Es ist ja genug vorhanden. Der erzieherische Andreas bemerkt es erst, wie er die Wärme des Danebengegangenen in der Gegend seines rechten Knies fühlt. »Was machst du denn, Junge?«
»Daaa!« sagt Martin. Sein Löffel fährt in die Höhe und verfolgt eine Fliege, die unter der Lampe kreist. »Daaa isse Fiiiege!« Auf dem Tischtuch zeichnet sich der Weg der Fliege in Form von aneinandergereihten Breiklecksen ab. Und wie sie über Martins Kopf zum Fenster sumst, kann man ihre Spur auf seinen Haaren verfolgen. Andreas nimmt ihm den Löffel weg. Was bleibt Martin da anderes übrig, als mit der bloßen Hand nach einem der Geleestückchen zu fassen, die so verlockend leuchten. Leider kommt nur verhältnismäßig wenig davon bei seinem Munde an. Das meiste quillt zwischen den Fingern hervor und trieft herab.
Mit beredter Wortlosigkeit säubert Isabel Martins Haar und Hand. Da er aber zwei Hände hat, holt er mit der anderen eine tote Hummel aus seiner Hosentasche und wirft sie in den Brei: »Noch ain Pitakogel. Da.« Und dann schiebt er den Teller mit einem jähen Ruck zur Seite, um der Mutter

die »Eisebah« zu zeigen, die auf dem Wachstuch abgebildet ist. Es gelingt Andreas zwar, den Teller vor dem Herunterfallen zu bewahren, aber seine Linke patscht mitten in den Brei.
»Vielleicht sollte ich ihn jetzt mal nehmen«, sagt Isabel.
Andreas, der nicht weiß, wo er mit der breiigen Hand bleiben soll, hat nichts dagegen. »Vorsicht! Hier scheint auch was hingespritzt zu sein.«
»Es dürfte schwerhalten, an dir und deiner Umgebung noch eine Stelle zu finden, wo nichts hingespritzt ist.«
»Schade«, sagt Andreas. »Und heute mittag konnte er es so schön.«

Er sucht Geld mit Geld

Wenn Andreas abends von seinem Gang zur Post zurückkommt, pflegt er Isabel in der Küche aufzusuchen und ihr die Dorfneuigkeiten, die er unterwegs gehört hat, nebst seinen Anmerkungen mitzuteilen. Es ist immer eine beschwingte Viertelstunde, auf die Isabel sich Tag für Tag von neuem freut. Die Vorbereitungen für das Abendessen gehen ihr dann so leicht von der Hand, daß sie manchmal meint, die Arbeit erledige sich von selbst.
Heute erscheint jedoch ein mißmutiger Andreas in der Küchentür. Er reibt sich den Nacken, seufzt und murmelt vor sich hin, man könne sich auf niemanden mehr verlassen, und die zehn Mark seien also zum Teufel.
»Was für zehn Mark denn?« fragt Isabel, ohne die Nase von dem hartgesottenen Ei zu heben, das sie in Scheiben schneidet.
»Die Post-Stelljes mir auf meinen Zwanzigmarkschein her-

ausgegeben hat. Ich wollte hundert Briefmarken zu zehn haben. Und da hat er mir zwei Fünfmarkstücke herausgegeben, die nur so funkelten vor Neuheit.«
»Aha. Und die hast du verloren?«

»Nein. Nur das eine.«
»Wo denn?«
»Wie ich die Lindenallee entlangging, habe ich mich so über die Silberstücke gefreut, daß ich ein bißchen Fangball mit ihnen spielen mußte, mit beiden zugleich. Und mit einem Male flog das eine in das hohe Gras neben dem Fußweg und war verschwunden. Ich habe gesucht und gesucht, aber es hatte sich so verkrochen, daß ich es nicht wiederfinden konnte. Wie verhext.«
»Ärgerlich«, sagt Isabel und schiebt die mit Eierscheiben verzierte Aufschnittschüssel in die Durchreiche. »Aber darum brauchst du doch kein Gesicht zu machen wie ein Pott voller Mäuse. Wegen fünf Mark.«
»Fünf Mark sind immerhin fünf Mark. Außerdem waren es zehn.«
»Ich denke, nur das eine Fünfmarkstück sei ins Gras gefallen?«
»Ist es auch. Aber als ich es beim besten Willen nicht wiederfinden konnte, habe ich gedacht, ich wollte doch mal sehen, wie das sei, wenn so ein schimmerndes Ding zwischen den Halmen verschwände. Und da habe ich mich auf denselben Fleck gestellt, auf dem ich gestanden hatte, als das erste Fünfmarkstück verlorenging. Und dann habe ich von da aus das zweite geradeso ins Gras fallen lassen wie das erste. Nur daß ich diesmal genau aufgepaßt habe, wohin es fiel.«
»Wie schlau!«
»Nicht wahr? Und doch noch nicht schlau genug.«
»Warum?«
»Weil ich das zweite auch nicht wiedergefunden habe.«

Sie sitzen zwischen dem Brombeergeranke unter den Föhren, wo die Hitze, die über dem Garten flimmert, nicht so drückend ist, Isabel, Andreas und Martin. Das heißt, Martin, der mit einem blauen Höschen und sonst nichts bekleidet ist, sitzt nicht, sondern kriecht auf der Erde umher und schafft vermittels eines hölzernen Gebildes, das früher einmal ein Lastauto gewesen sein könnte, Föhrennadeln und Moosbrocken von einem Liegestuhl zum andern. Was Isabel betrifft, so sticht sie mit einem angespitzten Holzstückchen kleine Löcher in die grünen Stachelbeeren, die eingekocht werden sollen. Und Andreas bemüht sich mit gekrauster Stirn, in einem ungemein tiefsinnigen Buch endlich einmal einen Satz zu entdecken, der ihm einleuchtet. Weiter als bis Seite fünf ist er allerdings noch nicht gekommen.
»Estella?« sagt Martin, ohne mit dem Beladen seines Lastwagens aufzuhören. »Ich meine – Andreas?«
Andreas antwortet nicht.
»Andreas?«
»Mm?«
»Wenn wir nun mal keine Sachen hätten, keinen Tesch un keinen Liegelstuhl un kein Gescherr un keine Sewisette, das wärte aber trauerig, nich?«
»Ja.«
»Un kein Bett, nich?«
»Ne.«
»Doooch! Das wärte doooch trauerig, wenn wir kein Bett hätten.«
»Ja.«
Mit hellem »Glüglüglüglüglü« fliegt ein Grünspecht im

Girlandenflug übers Haus. Dann wird es wieder still. Am Ginsterhang springt von Zeit zu Zeit eine Schote knackend auf und streut ihre Samenkörner aus, die mit zartem Rieseln ins Gras fallen.
»Andreas?«
»Mm?«
»Wenn in unseren Garten nun mal keine Bäume wärten, denn könnten die Eichhörnchen da auch nich 'rauf klettern, nich?«
»Ne.«
»Das wärte auch trauerig?«
»Ja.«
Der Lastwagen bewegt sich auf Isabels Liegestuhl zu: »Ruttutu ruttutu . . .«
»Andreas?«
»Mm?«
»Andreas?«
»Ja?«
»Woraus is einlich das Auge gemacht?«
»Weiß ich nicht. Aus Gelee.«
»Schileh is doch rot.«
»Dann eben aus Stachelbeergelee.«
»Ach sooo.«
Der Lastwagen rattert um Isabels Liegestuhl herum, ohne sich seiner Ladung zu entledigen, und kehrt über Stock und Stein zu seinem Ausgangspunkt zurück.
»Andreas?«
»Mm?«
»Gestern, wie es anzufangen geregmet hat, da sin doch zwei Regenböhne angegangen, nich?«
»Mm.«

»Un denn sin sie wieder ausgegangen. Wie kommt das einlich, daß sie denn wieder ausgegangen sind?«
»Wahrscheinlich hat der liebe Gott da oben das Licht ausgeknipst.«
Isabel läßt ein entschiedenes Räuspern vernehmen. Wie Andreas zu ihr hinübersieht, schüttelt sie unwillig den Kopf. Schuldbewußten Gesichts faßt Andreas sich an die Nase.
»Andreas?« sagt Martin.
»Ja, was gibt es denn?«
»Die Prinzette in'n Badezimmer, warum heißt die einlich Prinzette?«
»Ja, warum?« Andreas sieht Isabel an und faßt sich abermals an die Nase. »Also bei den Zwergen hinter den sieben Bergen, da war einmal eine kleine Prinzessin, eine ganz kleine Prinzessin, nicht größer als dieser Finger. Und die hatte so ungeschickte Beine, daß sie immer darüber stolperte. Du stolperst doch auch manchmal über deine Beine, nicht wahr?«
»Ne, über meine Füße.«
»Die winzig kleine Prinzessin stolperte aber auch über ihre Beine, über ihre Füße und über ihre Beine. Ihre Knie stießen gegeneinander, weißt du.«
»Ach sooo.«
»Ja. Und wenn sie mit ihren Freundinnen tanzte und sprang, dann fiel sie hin und tat sich weh. Und da ging sie zu ihrem Vater und weinte ihm was vor. Und da sagte der Vater, er wolle ihr ein paar andere Beine machen lassen, aus Silber, die immer etwas auseinanderstünden, damit sie nicht mehr hinfiele. Und das tat er auch. Und die beiden silbernen Beine sahen gerade so aus wie eine Prinzette, die ja auch immer etwas auseinander ist. Ganz von selbst. Und weil die Prinzettin . . . also die Prinzessin mit den neuen Beinen so wun-

derbar tanzen und springen konnte, wollten die anderen Mädchen gleichfalls welche haben ...«

Isabel ist schon mehrere Male auf ihrem Liegestuhl hin und her gerutscht, woran Andreas eigentlich hätte erkennen können, daß sie etwas auf dem Herzen hat. Nun unterbricht sie ihn: »Ich will ja nichts gegen deine Geschichte sagen. Sie

ist sogar ganz reizend. Aber ich mag es gar nicht, wenn du dich über ihn lustig machst.«
»Eigentlich mache ich mich mehr über mich selbst lustig.«
»Wie soll er das wissen? Meinst du nicht, daß man ihm, wenn er ernsthaft fragt, auch ernsthaft antworten müßte?«
»Manchmal schon. Aber nicht immer.«
»Doch, immer.«
»Du hast gut reden. Es gibt doch eine ganze Menge Bewandtnisse, die er noch nicht begreifen kann, beim besten Willen nicht.«
»Wenn man sich's nicht verdrießen läßt, begreift er sie schon. Man muß sich natürlich ein wenig anstrengen, man muß ein wenig darüber nachdenken, wie man sie seinem kindlichen Sinn nahebringt.«
»Es liegt nicht nur daran.«
»Doch, hauptsächlich.«
»Schön, dann soll er sich in Zukunft lieber an dich halten mit seinen Fragen. Du wirst dich aber wundern.«
»Ich habe mich noch nie zu wundern brauchen.«
»Martin . . . Wo ist er denn?«
»Hier«, sagte Martin und kriecht unter dem Liegestuhl hervor.
»Martin, wenn du jetzt noch etwas wissen willst, dann mußt du Mutti fragen. Willst du noch etwas wissen?«
»Jaha.«
»Was denn?«
Nachdem Martin die staubigen Hände an seiner nackten Brust abgewischt hat, stellt er sich vor Isabel auf und wackelt mit dem Kopf: »Bei Till, da sin doch so viele Hühnern. Un da is ein Huhn auf den andern Huhn draufgegangen un hat ihm ein bißchen Fell abgefressen. Warum denn?«

Andreas sinkt mit lautloser Behutsamkeit in seinem Stuhl zurück und legt das Buch auf sein Gesicht.
Schweigen. Nur das hohe Sirren der Schwebefliegen ertönt, setzt aus und ertönt wieder.
»Mutti?« »Ja ...« sagt Isabel verzagt.
»Warum denn, Mutti?«
»Ach du liebe Zeit!« ruft Andreas plötzlich und schwingt sich aus dem Stuhl heraus. »Ich muß ja den Rasen sprengen. Willst du mir helfen, Martin?«
»Au ja!« Martin läßt alles im Stich, den Lastwagen und die Hühner, und läuft hinter Andreas her. »Darf ich auch mal rumsprengern?«
»Darfst du.« Andreas bleibt stehen und ruft leise: »Isabel!«
Auf ihrem Liegestuhl, der Andreas die Rückseite zukehrt, rührt sich nichts.
»Süße Isabel!«
Da schiebt sich eine Hand über die obere Kante des Stuhles und winkt mit den Fingerspitzen einen kleinen Dankesgruß zu ihm hinüber.

Er schämt sich ein bißchen

Nach dem Abendbrot sind Gäste gekommen, unbeschwerte Leute, die ein lustiges Gespräch lieben. Man liegt auf der Terrasse in der schwülen Dunkelheit und tändelt und glitzert und lacht drauflos. Jeder hat ein Glas neben seinem Liegestuhl auf dem Boden stehen. Die einen rauchen, die andern knabbern an Salzstangen und Käseplätzchen herum. Von Zeit zu Zeit erhebt sich Andreas und füllt die Gläser nach.
»Wie sieht es denn mit Ihrem Glas aus, Libuscha? Ich kann beim besten Willen nichts mehr unterscheiden.«

Libuscha trinkt schnell noch einen Schluck und hält ihm dann ihren Kelch hin. »Ich wollte gerade die Geschichte von den beiden Hunden erzählen, die in eine Bar kommen. Oder kennen Sie die schon?«

Andreas kennt nie eine Geschichte, die ihm jemand erzählen will. –

Der Himmel ist fast so schwarz wie die düstere Masse des Föhrenwaldes. Kein Stern läßt sich blicken. Wenn das Gespräch einmal aussetzt, hört man den steigenden und fallenden Gesang der Grillen im Garten. Es dauert immer nur ein paar Augenblicke, dann geht das Lachen und Tändeln weiter.

Nach einiger Zeit öffnet sich die samtene Dunkelheit und gibt die Tiefe des Himmels frei. Andreas, der sich gerade in seinen Stuhl gelegt hat, ist der einzige, der es bemerkt. Zuerst erscheinen einige Sterne, und dann wird auch der silbrige Rauch der Milchstraße sichtbar.

Das mit den ausgebreiteten Schwingen ist der Schwan, denkt Andreas. Und das ist Perseus. Es sieht aus, als wolle er die vor ihm liegende Andromeda aufheben. Und die fünf großen Sterne sind die Cassiopeia.

Der Himmelsraum wird immer höher und schimmernder. Andreas kann sogar das verwischte Licht des Andromedanebels wahrnehmen.

Da setzt sich eine schattenhafte Gestalt auf seine Stuhllehne und fragt ihn flüsternd, woran er denke. Es ist Isabel.

»An den Himmel . . . an den Andromedanebel . . . an die Millionen von Lichtjahren . . .«

Isabel blickt empor: »O ja, es wird heller!«

»Mir ist so«, sagt Andreas leise, »als sollten wir uns alle ein bißchen schämen.«

»Warum? – Ach so.« Sie beugt sich über ihn. »Ich weiß

aber doch nicht. Warum müssen wir denn immer und immer ernst sein? Warum können wir nicht auch einmal lachen und dummes Zeug treiben. Wir sind doch Menschen.«
»Trotzdem.«
»Nein, da mag ich dir nicht recht geben. Ich will dir mal was sagen: Die Empfindungen . . .«
»Nicht so laut!«
Sie dämpft ihre Stimme: »Die Empfindungen . . . ich meine, was so innen in den Menschen geschieht . . . so die Empfindungen . . .«
»Zum Beispiel?«
»Die Liebe zum Beispiel. Deinen Sternenhimmel in Ehren, aber wenn Menschen sich liebhaben, dann ist das mindestens ebenso . . . ach was, tausendmal mehr, dann ist das tausendmal tiefsinniger und rätselvoller und ergreifender als die ganze Milchstraße. So. Und nun sollst du mit mir anstoßen.«
Sie holt ihr Glas und hält es dicht vor seine Augen.
»Ist hier auf der Terrasse denn jemand, der jemanden liebhat?« fragt Andreas, während er nach seinem Glas tastet.
Ein Jemand bestimmt. Dafür kann Isabel sich verbürgen.
»Zwei«, sagt Andreas lächelnd, »zwei Jemande. Dafür kann ich mich nun wieder verbürgen. Dein Wohl, kleiner Jemand!«
»Deins auch. – Und wenn du ein folgerichtig denkender Mann wärest, müßtest du dich jetzt wiederum ein bißchen schämen. Aber das bist du ja nicht.«
»Dafür habe ich bekanntlich eine folgerichtige Frau.«
»Hast du auch.«
Kling, klang!

Er bedankt sich

Immer wieder nimmt Andreas das Buch zur Hand, das Isabel auf seinen Geburtstagstisch gelegt hat. Er ist glücklich. Einmal über das Buch und mehr noch darüber, daß Isabel seinem geheimen Wunsch auf die Spur gekommen ist.
Da klingelt es. Peter erscheint, der getreue Freund und Nachbar. Er überreicht Andreas mit den aufrichtigsten Wünschen einen Gegenstand, der in Seidenpapier verpackt und mit einem golddurchwirkten Faden verschnürt ist. Wie Andreas den Faden gelöst und das Papier abgestreift hat, hält er das gleiche Buch in der Hand, das bereits auf dem Tisch liegt.
»Ach du liebe Zeit!« ruft Peter, dessen Blick inzwischen über die aufgebauten Gaben gewandert ist. »Ich sehe, du hast es schon.«
»Aber lieber Peter«, sagt Andreas, »dies Buch ist so wunderbar, daß man es gar nicht genug haben kann. Das eine stelle ich in meinen Bücherschrank und das andere gebrauche ich zum Lesen. Herzlichen Dank!«

Er geht zum Briefkasten

»Vio!« ruft Martin auf der Diele. »Viooo!«
Oben wird eine Tür geöffnet: »Is'n los?«
»Komm runter! Aber gaaanz schnell. Er will wieder Unsinn machen.«
»Au ja!«
Im allgemeinen hat Andreas nicht die Angewohnheit, sich eines Spazierstocks zu bedienen. Aber wenn Viola und Martin

ihn auf seinem abendlichen Gang zum Briefkasten begleiten, kann er aus bestimmten Gründen nicht darauf verzichten. Martin, dessen Augen dunkel vor Erwartung sind, hält ihm denn auch den Eichenstock mit dem gebogenen Griff und der spitzen Zwinge schon entgegen. Und Viola nimmt ihm die Briefe und Postkarten ab, damit sie ihn ja nicht behindern. »So«, sagt Andreas, indem er den Stock ergreift und sich zur Tür wendet, »nun kann mir ja nichts mehr zustoßen, nun habe ich ja eine gute Hilfe für den Weg.« Aber da gleitet seine Hand, die er zu weit vorn auf die Biegung des Griffes gelegt hat, am Stock hinunter bis auf die Zwinge, so daß er vornüberstolpert und mit dem Kopf gegen die Tür bumst. Mit einer Mischung von Jauchzen und Kreischen dreht Martin sich um sich selbst, setzt sich auf die Treppe und strampelt mit den Beinen, während Viola den Kopf vorstreckt, die Augen und den Mund aufreißt und ein lautloses Gelächter herausatmet.
Mittlerweile ist Andreas wieder aufgestanden und geht, leise vor sich hin schimpfend, durch den Garten. Die Kinder tanzen um ihn herum. Wie er aus der Pforte tritt, erklärt er ihnen mit erhobenem Zeigefinger, daß er den Griff jetzt aus Vorsicht möglichst weit hinten anfassen wolle, damit er nicht noch einmal vornüberstürze. Unter eifrigem Kopfnicken bestärken sie ihn in seiner Absicht. Er legt also seine Hand dort um den Griff, wo er schon fast zu Ende ist, und setzt sich in Bewegung. »Schönes Wetter heute abend, nicht wahr?« »Ja«, sagt Viola, »sehr schönes Wetter, da haben Sie recht. – Huuuh!«
Die Hand ist vom Griff-Ende abgerutscht und ins Leere gefahren. Andreas wirft sein linkes Bein in die Luft und hopst, um nicht auf den Rücken zu fallen, auf dem anderen zurück.

Obwohl Martin sich vor Lachen kaum aufrecht halten kann, versucht er doch, den Vater von hinten zu stützen. Er würde aber wohl kaum Erfolg damit gehabt haben, wenn Andreas nicht im letzten Augenblick einen Lindenstamm umklammert hätte.
Da hängt er nun und bläst seine Lippen auf.
Viola kommt mit dem Stock herbei.
»Gib her!« sagt Andreas und läßt den Baum los. »Danke schön. Das wäre beinahe schlimm abgelaufen. Ich muß vorsichtiger sein.«
So geht er denn, den Stock bedachtsam aufsetzend, Schritt für Schritt die Lindenallee entlang. Leider trifft der Stock, wie er zum fünften Male aufgesetzt wird, in ein Mauseloch und bleibt darin stecken, ohne daß Andreas es bemerkt. Er wandert weiter, als habe er den Stock noch in der Hand, senkt sein Gewicht auf ihn und schießt schräg nach vorn gegen Frau am Holtes Gartenzaun, an dem er, unter wiederholten Drehungen um sich selbst, entlangtorkelt. Wieder ist es Martin, der sich ihm lachend und hustend entgegenstemmt. Aber jetzt versteht Andreas keinen Spaß mehr: »Hast du denn nicht gesehen, daß der Stock in der Erde steckengeblieben ist?«
»Doch.«
»Und dann hast du deinen armen alten Vater nicht darauf aufmerksam gemacht, du Schurke?«
»Ne«, sagt Martin.
»Was? Dafür wirst du jetzt verhauen.«
Andreas läuft mit erhobenem Stock hinter Martin her, holt aus und schlägt zu. Dann läßt er, da er nicht Martin, sondern einen Vogelbeerbaum getroffen hat, den Stock fallen, springt aufjammernd in die Luft und pustet gegen die Hand, die er

vor seinem Munde schüttelt. Etwas Herzerquickenderes kann es für Martin und Viola einfach nicht geben. Sie liegen sich in den Armen. Es kommt aber noch besser. Denn wie Andreas den Stock aufheben will, verwechselt er ihn mit einem halb vertrockneten Sonnenblumenstengel, der an seinem oberen Ende eine griffähnliche Biegung aufweist. Er nimmt den Stengel in die Linke, schüttelt die Rechte und schreitet davon. Natürlich knickt der Stengel sofort in sich zusammen. Andreas desgleichen. Er geht jählings in die Knie und setzt sich seitwärts ins Gras. Unter ziehendem Gelächter und weit nach hinten gelegt bemühen Viola und Martin sich, den Gestürzten wieder auf die Beine zu bringen. Schließlich gelingt es ihnen auch.
Er schleudert den Stengel in Frau am Holtes Garten und zieht ohne Stütze fürbaß. Doch das können die Kinder natürlich nicht dulden. Sie halten ihn an und drängen ihm seinen Stock wieder auf. Es bedarf vieler Erklärungen, ehe er sich überzeugen läßt, daß dies hier sein richtiger Stock ist, dem er vertrauen kann. Vorsichtshalber trägt er ihn fürs erste einmal waagerecht unterm Arm, die Zwinge nach vorn, den Griff nach hinten.
»Liebe Leute«, sagt er, »wir kommen ja nicht mehr rechtzeitig zum Briefkasten!« Mit langen Schritten, halb laufend, daß die Kinder ihm kaum folgen können, eilt er dem Dorf zu. Mit einemmal hakt der Stockgriff hinter einen Pfahl, der einem neugepflanzten Lindenstämmchen Halt geben soll. Andreas wird zurückgerissen, prallt gegen den Pfahl und wird wieder vorwärts geschubst. Es dauert eine geraume Weile, bis er, hin und her taumelnd, sein Gleichgewicht findet. Martin überkugelt sich vor Vergnügen zweimal im Grase, während Viola den Vater mit lachenden Augen belehrt, er

müsse den Stock hoch halten, so, dann komme so etwas nicht mehr vor. Gut, er faßt den Stock am unteren Ende an, so daß der Griff nach oben zeigt, und bewegt ihn im Gehen auf und ab wie ein Tambourmajor. »Däderäderädädä!«
Wie er unter dem nächsten Lindenbaum hindurchmarschiert, bleibt der Stock an einem Zweig hängen, der ihn durch seine Schnellkraft der herabgehenden Hand entreißt und ihn weit fortschleudert. Der gesangreiche Andreas dreht sich im Gehen nach Martin und Viola um und bewegt die leere Hand unverdrossen auf und ab. »Däderäderädädä!«
Die Kinder hängen sich kreischend an ihn: »Wo ist denn dein Stock? Du hast ja keinen Stock mehr!«
»Was ist los?«
»Du hast ja keinen Stock mehr!«
Fassungslos betrachtet Andreas seine Hand: »Nun hört aber alles auf! Wie ist so etwas denn möglich?«
»Hier, hier!« Die Kinder zerren ihn dorthin, wo der Stock liegt. Aber er wehrt entsetzt ab. Nein, dies Ding rührt er unter keinen Umständen mehr an. Es ist verzaubert und verhext. Er will einen Grashüpfer verspeisen, wenn es sich nicht so verhält. Nein, weg!
Mit zugedrückten Augen und über Kreuz ausgestreckten Händen weicht er zurück, noch weiter zurück, noch weiter, bis er, bums, in den kleinen grasbewachsenen Graben fällt, der sich neben der Allee hinzieht.
»Hilfe!«
Martin muß erst wieder ein paar Purzelbäume schießen, ehe er Viola beim Aufrichten von Andreas unterstützen kann. Zunächst entgleitet Andreas ihnen nach rechts und nach links und plumpst immer wieder wie ein Mehlsack in den Graben zurück. Aber mit einem Male steht er von selbst auf

und wischt die Grashalme von seiner Hose. »Da sind ja Leute!« flüstert er. »Hinter den Schlehen.«
Geführt von einer blonden Lehrerin, die einen hellblauen Sommermantel überm Arm trägt, kommt eine Schulklasse von vierzehn- oder fünfzehnjährigen Mädchen auf ihn zu. Andreas ergreift schleunigst den Stock, den Viola ihm hinhält, und schickt sich an, in aufrechter Haltung an der Klasse vorbeizugehen.
Da tritt jedoch die blonde Lehrerin vor, entschuldigt sich und erlaubt sich die Frage, ob sie mit dem Verfasser des Buches »Der Jüngling unter den Sternen« spreche. Und

dann nennt sie wahrhaftig auch noch seinen Namen, Wort für Wort. Ob er der Betreffende sei?

»Teilweise.«

Es handele sich um folgendes, sagt die Lehrerin etwas verwirrt, sie habe mit ihrer Klasse eine Moorwanderung gemacht, zwecks Heimatkunde. Und da sei sie darauf verfallen, den Mädchen zum Abschluß einmal einen lebendigen Schriftsteller zu zeigen.

»In freier Wildbahn«, murmelt Andreas.

»Wie? Ach so! Haha!« Im Gasthaus »Zu den drei Eulen« habe man ihnen gesagt, er gehe jeden Abend diesen Weg zur Post, um seine Briefe und Gedichte und alles aufzugeben. Und da hätten sie eben hinter den Schlehen auf ihn gewartet.

Andreas blinzelt.

Ja. Und sie hätten ihn schon die ganze Zeit über beobachtet. Schon wie er noch ganz dahinten gewesen sei. Sie müsse ja gestehen, daß sie sich ihn etwas anders vorgestellt habe.

»Wie denn zum Beispiel?«

»Zum Beispiel mehr wie den Jüngling unter den Sternen.«

»Hm«, sagt Andreas. »Wenn dieser Jüngling bis an sein Lebensende nicht ebensoviel Lust hat, in den Straßengraben zu fallen wie unter den Sternen einherzuwandeln, dann taugt er nichts.«

»Das verstehe ich nicht.«

»Manchmal verstehe ich's auch nicht. Aber nur manchmal. Und somit: Guten Abend! – Guten Abend, meine Damen!«

Er geht schnell davon.

»Machst du jetzt wieder Unsinn mit deinem Spazierstock?« fragt Martin.

»Unsinn? Aber Junge, wann habe ich denn Unsinn gemacht?«

Er beschwört eine Schlange

»Was machst du denn da?« fragt Isabel. »Bläst du Trübsal?« Sie bleibt mit der vollen Gießkanne hinter Andreas stehen, der vor dem Wurzelansatz einer alten Föhre kniet und auf seiner Blockflöte eine klagende Weise entlockt.
»Ich will versuchen, ob ich die Ringelnatter bewegen kann, aus ihrer Höhle herauszukommen. Sie wohnt hier unter der

Föhre.« Andreas zeigt mit seiner Flöte auf ein Loch zwischen zwei krummen Baumwurzeln. »Schlangen sollen ja Freude an Musik haben.«

»Mit einer so trübseligen Blaserei schläferst du sie höchstens ein. Du mußt ihr was Lustiges vorspielen.«

»Da magst du recht haben.«

Andreas stimmt eine hüpfende Tanzweise an. Es rührt sich jedoch nichts.

Nachdem Isabel eine Weile zugehört hat, sagt sie, wenn er einen kleinen Frosch vor das Loch setzen würde, ließe die Natter sich wahrscheinlich eher blicken. »Aber das wirst du doch nicht tun?«

Andreas schüttelt den Kopf und bläst weiter.

»Wenn sie kommt, kannst du mich ja rufen. Ich muß jetzt mein Gewürzgärtchen begießen.« –

Beim Abendessen fragt Isabel, was denn aus der Ringelnatter geworden sei. »Hast du noch Glück gehabt mit deiner Flötenkunst?«

»Sie ist leider ausgewandert.«

»War sie so musikalisch?«

»Pö!«

»Was meinst du denn mit ›ausgewandert‹?«

»Na ja, sie ist herausgekommen, aber erst nach einer Stunde ungefähr, und hat sich durch die Büsche geschlängelt, den ganzen Hang hinunter und weiter über die Markusheide bis nach Hüneckes Teich. Ich konnte ihr kaum folgen, so schnell schlüpfte sie dahin. Im Teich hat sie sich ein bißchen gebadet. Und dann ist sie am andern Ufer wieder herausgestiegen. Ich bin gleich um den Teich herumgelaufen, sie war jedoch schon verschwunden. Dann habe ich noch etwas Musik gemacht, leise, damit Hüneckes nichts hörten. Aber es hat nichts genützt.«

Isabel sagt, vielleicht fände sie ja in der Nacht wieder zu ihrer Wurzelwohnung zurück.
»Nein, die kommt nicht wieder.«
»Armer Andreas! Dabei ist mir, als hätte ich irgendwo gelesen, daß Schlangen überhaupt nicht hören können.«
»Das würde mich etwas trösten«, sagt Andreas.

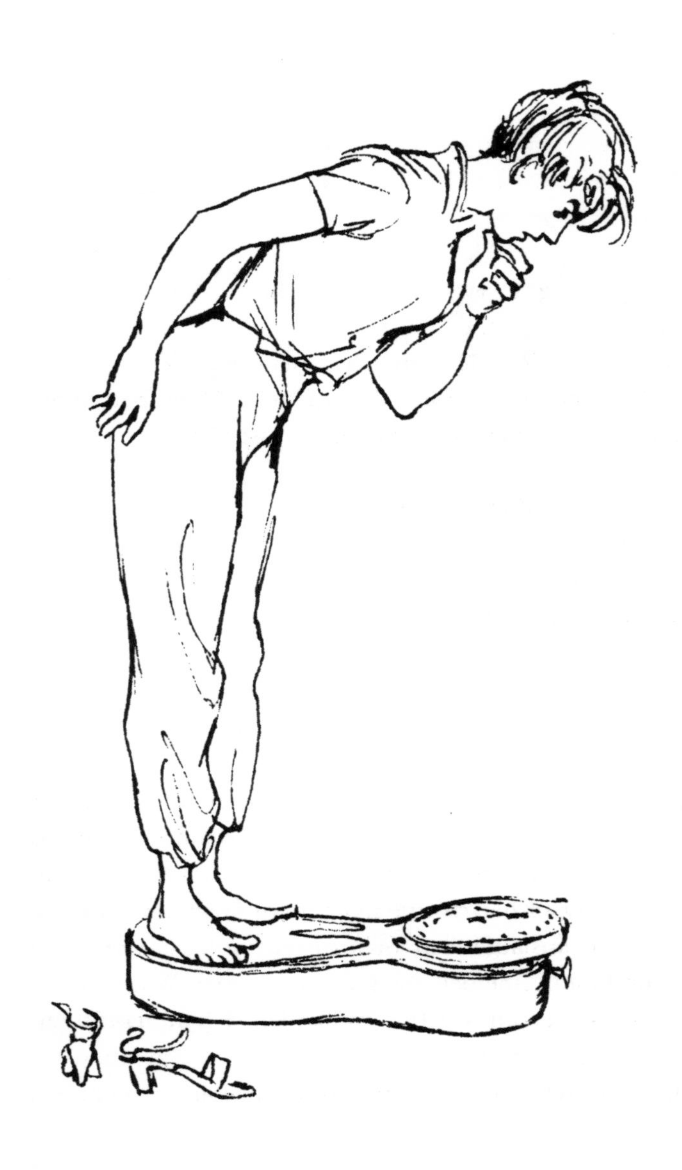

Er muß klein beigeben

»Klack, klick«, sagt die Waage, wie Isabel heruntersteigt.
»Ach, ach, ach . . .«
Andreas fragt, warum sie denn so seufze.
»Ich habe so einen Kummer.«
»Wieder zugenommen?«
»Ja.«
»Dann ist es ja gut, daß du Kummer hast.«
»Kummer ist nie gut.«
»Zuweilen doch. Wer Kummer hat, magert ab.«
»Hast du noch nie gehört, daß manche Menschen ihren Kummer in irgend etwas ertränken müssen?«
»Doch.«
»Na also. Ich muß es auch.«
»Und worin?«
»In Pralinen.«
»Dann allerdings.«

Er sieht in einen dunklen Raum

Nach dem Tee stellt Andreas seinen Malkasten und die kleine altertümliche Eisenbahn, die er aus Holz erbaut hat, auf das abgeräumte Tischchen, und Isabel setzt sich mit ihren Nähsachen dazu. Die Lokomotive mit dem dünnen, oben in eine Zackenkrone auslaufenden Schornstein soll schwarz und golden und die Reihe der postkutschenartigen Wagen gelb, grün und rosa bemalt werden. Es handelt sich um ein Weihnachtsgeschenk für Martin.
Draußen fällt schnell die Dämmerung ein. Die verschneiten

Sträucher und Bäume des Gartens weichen zurück und vergehen. Dann und wann treibt ein Flockenwirbel durch den Lichtschein des Fensters und weht mit weichem Tupfen an die Scheibe.
»Erzähl mal weiter!« sagt Isabel. Sie hebt die Nadel gegen die Lampe und drängt das gezwirbelte Ende eines Fadens durch das Öhr. Dann schiebt sie ihre Unterlippe mit dem Mittelfinger hin und her und denkt über etwas nach. »Ob ich nicht doch lieber einen grauen Faden nehme? Grau oder Blau? Womit näht man diesen Saum nun am besten?«
Andreas ist für Blau. »Ich würde dies blasse Blau nehmen.«
»Meinst du?« Zögernd zieht sie den Faden wieder aus der Nadel und wählt einen anderen. »Also, du kamst in den Laden. Und da?«
»Und da war Buko schon drin. Er hatte den Mantelkragen hochgeklappt. Du weißt ja, wie er es immer so macht, die Enden so übereinandergelegt, daß er sie mit dem Kinn festhalten kann. Und rasiert war er auch nicht. ›Wenn ich bitte eine Schachtel Lichter haben könnte, gelbe‹, sagte er. Und Reye, mit seinem Bleistift hinterm Ohr, brachte die Schachtel herbei und fragte ihn, was er als Kunstmaler denn davon halte, seine Frau wolle den Baum diesmal ganz in Natur schmücken, nur so den Baum und dann weiße Kerzen auf den Zweigen, ganz in Natur sozusagen. Aber Buko antwortete nur ›Hm‹ und verlangte goldene Flitterschnüre und dann zwei Lebkuchenherzen und dann eine kleine Kindertrompete. Und Reye immer zuvorkommend mit ›Bitte sehr!‹ und ›Darf es sonst noch etwas sein?‹, wie Reye so ist. Und mit einem Male brach es aus ihm heraus . . .«
»Aus Reye? Ich denke Buko . . .«
»Aus Buko natürlich. Er beugte sich über den Ladentisch

und sah Reye scharf in die Augen. Sein Mantelkragen öffnete sich, man konnte sehen, daß er ein Hemd ohne Kragen anhatte. Aber das war ihm ganz gleich. Er stampfte mit der Faust auf den Tisch, so von oben mit den Knöcheln, und dann brach es aus ihm heraus: ›Hören Sie mal, Sie haben mich aber enttäuscht, Herr Reye!‹ – ›Ich?‹ – ›Sie, jawohl! Bislang habe ich Sie nämlich für einen Mann gehalten, der das Herz auf dem rechten Fleck hat. Ja, Fleutjepiepen!‹ – Reye wußte gar nicht, wie ihm geschah. Er wollte etwas sagen, aber Buko ließ ihn überhaupt nicht zu Worte kommen. – ›Hören Sie mal‹, sagte er, ›in jedem Jahr sind Sie beigegangen und haben ein Weihnachtsschaufenster errichtet mit einem kleinen Tannenbaum, mit einem kleinen Nikolaus, mit einer kleinen Kirche, die innen erleuchtet war, das haben Sie immer sehr stimmungsvoll hingekriegt, und dann der glitzernde Schnee und der Weg aus Rosinen und alles, sehr stimmungsvoll. Und wie haben die Kinder sich darüber gefreut! Und ich selbst auch. Wenn Ihr Weihnachtsschaufenster erschien, dann fing für mich die Vorfreude auf das Fest an. Ich bin immer stehengeblieben und habe es mir betrachtet und ein freundliches Gefühl dabei gehabt. – Sieh einer an, habe ich gedacht, Reye hat das Herz auf dem rechten Fleck, er vergißt die Kinder nicht. Aber in diesem Jahr! Wollen wir mal vor die Tür gehen und Ihr Schaufenster besichtigen? Wollen wir mal nachsehen, was für eine Weihnachtsstimmung Sie den Kindern in diesem Jahr beschert haben? Kaffeetassen, Milchtöpfe, Weingläser und ein Bowlengefäß. Hören Sie mal, es ist eine Schande wert. Man müßte Ihnen einfach die Fensterscheibe einwerfen. Tatsächlich, das müßte man.‹ – Aber unser Reye war auch nicht auf den Mund gefallen. ›Gewiß‹, sagte er, ›der Weihnachtsmann, die Kirche, der Schnee, gewiß.‹ Aber man sei ja schließlich Geschäftsinhaber. Und wenn man sich neuerdings entschlossen habe, auch Glaswaren und Porzellan zu führen, dann müsse man den Leuten ja etwas vor Augen breiten, damit es sich herumspreche. Man habe es

heutzutage ja nicht einfach als Geschäftsinhaber, das wolle er ihm gerne schriftlich geben. – Und dann ging Buko wieder gegen ihn an und nannte ihn einen Pfennigfuchser, und er habe den Adventssonntag und das Kinderglück für dreißig Silberlinge verraten. Und so redeten sie hin und her, bis Reye mit seinem Bleistift auf den Ladentisch tippte und fragte, ob er sonst noch Wünsche habe. Allerdings, Buko wollte noch ein kleines Segelschiff erwerben. Er stand immer noch vorgebeugt da und durchbohrte Reye mit seinen drohenden Blicken. Einen Augenblick schielte er in seinen Tabaksbeutel, aus dem er zwei Scheine holte und auf den Tisch warf, dann starrte er Reye wieder an. Aber Reye behält ja immer seine Besonnenheit.«
»Tut er auch.« Isabel nickt nachdrücklich mit dem Kopf. »Ich komme immer gut mit ihm aus. Nichts gegen Reye! Aber auch nichts gegen Buko! Er ist ja doch der Beste von allen. Schade, daß er sich so zurückhält. Ich muß immer an seine treuen Augen denken ... und überhaupt. Und da?«
»Da stopfte Buko seine Siebensachen in einen alten Rucksack und brummte, alles, was recht sei, aber das sei nicht recht. Und in der Tür drehte er sich noch einmal um und rief: ›Gesegneten Handel, Herr Geschäftsinhaber!‹ Reye lachte jedoch nur mit seinen gelben Zähnen und fragte mich, was es heute denn sein solle. ›Sie kennen ihn ja auch‹, sagte er. ›Ich nehme ihm das weiter nicht übel. Künstler! Wenn ich gleich ein paar Tannenzweige mit Lametta zwischen die Gläser stelle, versöhnt er sich morgen, ach was, heute abend schon wieder mit mir.‹«
Isabel wirft ein, das wisse sie ja nun doch nicht. So sei Buko eigentlich nicht. Ein anderer tue es vielleicht, aber Buko

nicht. »Hm. Ich gäbe ja doch etwas darum, wenn ich wüßte, was er mit den Sachen im Sinn hat. Will er sie für seinen Baum verwenden? Ich glaube es nicht. Er hat irgend etwas Besonderes im Sinn.«

»Würdest du entrüstet auffahren, wenn ich durchblicken ließe, daß ich dich in meinem Innern der Neugierde bezichtige?«

»Bin ich auch! Wenn es sich um Buko handelt, bin ich auch neugierig!«

»Ich übrigens gleichfalls. Und da ich mir sowieso noch etwas Krapplack von ihm ausbitten wollte, werde ich nachher auf dem Weg zur Post einmal bei ihm vorsprechen.«

»Das tu nur. Denn eine Kindertrompete ... Was will er zum Beispiel mit einer Kindertrompete anfangen?«

Zuerst meint Andreas, es schneie nicht mehr. Aber dann fühlt er, daß ein feines Geprickel gegen sein Gesicht weht. Es kommt ihm so vor, als seien die Flocken körniger geworden. Wahrscheinlich ist Kälte im Anzug. Noch sieht der Himmel allerdings dumpf und schwarz aus. Kein Stern zeigt sich. Aber auf der Schneefläche liegt ein Hauch von Dämmerlicht, so daß er die Fußspuren, die den Weg bezeichnen, ganz gut erkennen kann. Im Dorf fällt da aus einer halboffenen Stalltür ein rötlicher und dort aus einem verhängten Fenster ein gelblicher Schein auf den Schnee. Vermummt und vornübergebeugt schlurfen die wenigen Menschen dahin, die jetzt noch unterwegs sind. Die Flocken sinken auf sie nieder und ersticken jedes Geräusch. Nur ein paar Kinder, die Andreas gleitend und laufend überholen, durchbrechen mit ihrem aufgeregten Gespräch und dem gedämpften Klappklapp ihrer Holzschuhe die Stille. Er erkennt die Stimme von Meta Wendelken.

»Jo, jo, so wat hes dien Lebtach
noch nich sehn. –
Wo is Jan denn? Jaahan!«
»Minsch, du lochs jo!« ruft ein Junge.
»Och, un de flächt
do jümmer boben rom.
Wunnerbor, kann eck di seggen. – Jan!«
»Richtige Engels? Du lochs jo!«
»Un'n Schipp in'n gollenen Woter,
un 'ne Poppe, wunnerbor,
un so'n Kerl mit'n gaanz gräsigen Mund,
un de Engels,
de flächt do jümmer rom.«
»Minsch, dat kann jo woll nich angohn.«

»Kumm man her! – Wo bliewt Jan denn all wedder? Jan!«
Der kleine Jan klappert nölend und schnüffelnd hinterher. Bei der Post biegen sie in den Heckenweg ein, der zum Redder hinunterführt. Andreas wirft seine Briefe in den Kasten und folgt ihnen. Buko wohnt ja auch im Redder, und es soll ihn wundern, wenn der Kerl mit dem gräsigen Mund und das Schiff und die Engel nicht irgendwie mit Bukos Einkäufen zusammenhängen.
Wie er ungefähr bei Bäcker Monsees ist, kommt Bukos Häuschen in Sicht, das etwas zurückliegt. Er hat sich nicht getäuscht: Im Vorgarten wimmelt es von Kindern, über die sich ein weicher Glanz aus dem erleuchteten Atelierfenster ergießt. Auch einige Erwachsene stehen an den Seiten und beugen sich gegen die Helligkeit vor. Langsam geht Andreas näher heran. Was hat Buko da denn um Himmels willen vollbracht! Wie ein Traum schwebt es mit Buntheit und zartem Geglitzer hinter der Scheibe. Vorn auf der Fensterbank liegen sieben Äpfel, in denen brennende Kerzen stecken. Dahinter erhebt sich auf einem herangerückten Tisch, über den Buko ein verschossenes grünes Tuch gebreitet hat, eine unwirkliche Märchenwelt. Vor allen Dingen steht da eine Pyramide aus drei mit Silberpapier umwickelten Holzstäben, auf deren Spitze ein dunkelblaues Flügelrad sich langsam in der aufsteigenden Wärme mehrerer Kerzen dreht. Unter den Flügeln hängen an kaum sichtbaren Fäden fünf schräggeneigte Rauschgoldengel mit großen blauen Flügeln, die still durch die Luft gleiten, während unten in einer moosigen Landschaft drei Hirten inmitten einer Heidschnuckenherde, deren Wollzotteln bis auf die Erde fallen, mit erhobenen Armen zu ihnen emporstarren. Am anderen Rande des Tisches bilden aufgeschichtete Bücher eine Art von Bergrücken. Da-

hinter steigt das grüne Tuch zu einer Staffelei hinauf, die den Schauplatz gegen das Zimmer abschließt. Rechts auf dem Felsen sitzt eine altmodische Puppe in brüchiger Seide und Goldgespinst und lächelt mit ihrer Spielzeugunschuld ins Leere. Zu ihren Füßen wiegt sich auf den Wellen einer hin und her geschlungenen Flitterschnur ein Vollschiff mit geblähten Segeln. Auf der anderen Seite zeigt ein grimmiger König Nußknacker, dessen frisch aufgetragene Farben feucht erglänzen, seine Zähne. Der Hampelmann hingegen, der sich, an einem Flitterfaden frei im Raum schwebend, über dem Schiff bald nach rechts und bald nach links wendet, lacht übers ganze Gesicht, wiewohl er in der einen Hand einen gebogenen Säbel und in der andern eine Pistole mit trichterförmig sich erweiterndem Lauf hält und mit seinem fransenbesetzten Anzug aus metallischem Glanzpapier, seinen Stulpenstiefeln und seinem Federhut offensichtlich einen Räuberhauptmann abgibt. Teils höher als er, teils tiefer drehen sich, ebenfalls an Flitterfäden hängend, zwei Lebkuchenherzen und eine Trompete mit hellgrüner silberdurchwirkter Schleife gemächlich um sich selbst. Die Lichter brennen, ohne zu flakkern, lautlos kreisen die Engel in wechselnder Beleuchtung, das Flittergold fängt den Kerzenschein auf und wirft ihn vielfältig gebrochen zurück, und in der Christbaumkugel, die mitten auf dem Flügelrad angebracht ist, erscheint die dämmerige, langsam sich bewegende Welt noch einmal, nur ganz klein und in seltsam gebogenen und abgewandelten Verhältnissen.

Da sollen die Kinder wohl Mund und Nase aufsperren. Sie schieben sich so nahe wie irgend möglich an das Fenster heran und flüstern und rufen durcheinander. Die Vordersten müssen von Zeit zu Zeit den Hauch wegwischen, den ihr

Atem auf der Scheibe entstehen läßt. Ein kleiner Junge, der seine Pudelmütze tief über die Augen gezogen hat, tappt mit seinen ungeschickten Fingern immer wieder in der Richtung des Segelschiffes gegen das Glas und singt selbstvergessen vor sich hin, das wolle er »to Wiehnacht hebbn«.
Andreas sieht seitwärts an der Staffelei vorüber in die Tiefe des dunklen Raumes, wo er Buko irgendwo vermutet. Dabei überlegt er sich, ob es unter diesen Umständen eigentlich angebracht sei, zu ihm hineinzugehen. Ist er denn überhaupt zu Hause? Er kann ihn nirgends entdecken. Doch, zu Hause muß er wohl sein. Er darf die Kerzen doch nicht sich selbst überlassen. Oder sollte er das Schattenhafte sein, da rechts, diese verwischte Stelle im Hintergrund? Andreas schirmt den Lichterglanz mit der Hand ab und beugt sich etwas vor. Ja, es ist Buko. Er sitzt unbeweglich in seinem alten Ohrensessel, raucht eine Pfeife und betrachtet die Kinder. Nachdem Andreas sich an die Dunkelheit gewöhnt hat, erkennt er ihn. Eine Welle der Zuneigung flutet durch ihn hindurch. Bukos Gesicht ist zerfurcht und gedankenvoll. Er lebt so einsam wie keiner sonst. Was er an Hab und Gut sein eigen nennt, ist kaum der Rede wert. Andreas weiß, daß er zuweilen bei einer Flasche Rotwein die Nacht durchwacht, in seinem Atelier umhergeht und mit sich selbst Zwiesprache hält. Er liest, geht umher, malt Bilder, die traumhaft aus dem Dunkel hervorleuchten, und schweigt gegen jedermann. Kunstmaler Buko. Und da hat er sich nun in seiner Einsamkeit dies Schaufenster für die Kinder ausgedacht. Nein, Andreas kann ihn jetzt nicht stören. Außerdem muß er ja schleunigst Viola und Martin hierher schicken. So zieht er sich denn vorsichtig zurück und beschließt, nach dem Abendessen wiederzukommen, wenn die Lichter hier erloschen sind.

*

»Was ich noch sagen wollte ...« murmelt Buko, wie Andreas sich in der Haustür von ihm verabschiedet.
»Ja?«
Er macht zögernd »Hm«, stößt mit dem Fuß an die Schwelle, blickt auf, wendet sich ab und stößt abermals an die Schwelle. »Sie haben nicht zufällig diesen seltsamen Jungen bemerkt, vorhin, als Sie draußen vor dem Fenster standen?«
»Was für einen Jungen meinen Sie?«
»Links vorn. Das heißt von Ihnen aus rechts. Er hatte keine Mütze auf. Ein Junge von fünf oder sechs Jahren mit hellem Haar. Dicht an der Scheibe. Aber vielleicht phantasiere ich mir ja auch etwas zurecht. Ich weiß nicht.«
»Warten Sie mal«, sagt Andreas. »Keine Mütze auf? Nein, eigentlich nicht.«
»Hm.«
»Hat er denn etwas angestellt? Oder weshalb fragen Sie?«
»Nein ... ja ... Doch, er hat etwas angestellt, aber ... Och, kommen Sie doch noch einen Augenblick herein! Ich muß Ihnen etwas ... Haben Sie noch einen Augenblick Zeit?«
Sie gehen ins Atelier zurück. Buko läßt sich auf seinem Bett nieder, Andreas rückt sich den Ohrensessel zurecht, in dem er vorhin schon gesessen hat, zwischen ihnen steht ein Tischchen, auf dem ein Tabaksbeutel und ein paar Äpfel liegen. In einem gläsernen Leuchter brennt eine Kerze. Es riecht nach Pfeifenrauch, Terpentin und Wachs. Sie sitzen eine Weile schweigend da. Buko hat sich vornübergebeugt und betrachtet den Fußboden. Schließlich lehnt er sich zurück und sagt, ohne die Augen zu heben, er möchte Andreas etwas anvertrauen, aber er wisse nicht, ob er einem vernünftigen Menschen mit solchem Zeug kommen dürfe. Andererseits sei es ihm ja gerade um die Meinung eines vernünftigen

Menschen zu tun. »Natürlich habe ich bei offenen Augen geträumt«, sagt er mit einem kurzen, verlegenen Auflachen. »Nur eben . . . es ist ja gleich, ob Traum oder Wirklichkeit. Auch ein Traum kann eine merkwürdige Wahrheit . . . Entschuldigen Sie, ich bin noch ein bißchen durcheinander!« Er nimmt einen Apfel in die Hand, wirft ihn hoch, fängt ihn auf und legt ihn wieder an seinen Platz.

Andreas sagt, oft werde die Wirklichkeit, wenn er sie tiefer und tiefer bedenke, so schwebend und ungewiß wie ein Traum. Und wiederum wisse er viele Träume, die in sein Leben eingegangen seien wie Wirklichkeiten.

Aber Buko scheint nicht zuzuhören. Seine Schuhspitze umfährt langsam einen dunklen Fleck auf dem Fußboden. Er denkt an das, was ihn bewegt. »Zuerst hatte ich ihn gar nicht bemerkt«, sagt er. »Neben ihm stand ein Knirps mit verschmiertem Gesicht und schlug gegen die Scheibe und sang dazu.«

»Ja, den habe ich gesehen. Die Mütze ging ihm bis über die Augen. Den habe ich gesehen. Aber den andern nicht.«

»Und während ich mich noch über das kleine Ungeheuer freute... Wissen Sie, so ein Kindergesicht ist ja doch etwas... oh!« Er legt die Hand über die Augen und schüttelt überwältigt den Kopf. Dabei atmet er seufzend durch die Nase. Andreas versteht, daß er ein wenig Geduld haben muß.

Die Kerzenflamme sinkt knisternd herab und steigt gleich darauf wieder hoch. Draußen klingelt ein Schlitten vorbei. Dann ist es so still wie zuvor. Sogar das Rieseln des Schnees hat aufgehört.

Schließlich wischt Buko mit der Hand über sein Gesicht und reibt sich das Kinn: »Ja, also . . . während ich mich noch über das keine Ungeheuer mit der Rotznase freute, wurde

mein Blick auf eine sonderbare Weise von dem anderen Jungen angezogen. Nicht als ob er durch irgendein Gebaren meine Aufmerksamkeit auf sich gelenkt hätte. Er stand nur da und betrachtete mit seinen großen blauen Augen die Engel, die durch die Luft glitten. Und diese Augen waren ebenso staunend und selig wie die der übrigen Kinder. Aber als sie einmal wie zufällig über mich hingingen, gewahrte ich, daß in ihrer Tiefe ein Wissen und eine Traurigkeit lebte ... Wie soll ich das sagen? Kinderaugen mit einem Ausdruck des Erbarmens. Unschuldige Augen, die das Leid der Welt kannten. Noch nie in meinem Leben habe ich solche Augen gesehen. Sie werden denken, Unschuld und Wissen seien unvereinbar. Ja, ja. Ich denke ja auch, daß ... Und dennoch!«
Er hält ein und starrt Andreas unsicher an. »Vielleicht waren es ja keine Menschenaugen«, fügt er flüsternd hinzu. Obwohl er die letzten Worte mit einem fragenden Unterton gesprochen hat, antwortet Andreas ihm nicht. Er ist nicht imstande, etwas zu sagen, denn Buko starrt ihn immer noch an. Sein Blick ist so groß und ernst, daß Andreas nichts anderes mehr wahrnimmt. Alles um ihn her versinkt mit dünnem Rauschen. Ein paar Sekunden lang hat er das Gefühl, als löse sein Körper sich auf, als gebe es nur noch dies schwermütige Ineinander von Auge und Auge. Dann findet er zu sich zurück. Wieder läßt sich draußen ein Schlitten vernehmen. Er biegt jedoch, ehe er heran ist, in einen Seitenweg ein. Das Geklingel verliert sich.
»Hören Sie zu«, sagt Buko, »was dann kam. Die Kerzen waren allmählich herabgebrannt. Als die erste erlosch, überlegte ich, ob ich sie durch eine neue ersetzen sollte, fand aber, es sei bei kleinem an der Zeit, daß die Kinder sich auf den Heimweg machten. Die meisten waren übrigens schon fort-

gegangen. Und nun klapperte wieder eins davon und nun noch zwei, und dann stand nur noch der fremde Junge vor der Scheibe. Seine Augen leuchteten noch genauso beglückt wie vorhin. Je länger ich ihn betrachtete, um so mehr ergriff mich der zarte Adel, der ihm eigen war. Vorsichtig, damit er nicht auf mich aufmerksam würde, bedeckte ich mein Gesicht mit meinen Händen und besann mich. Was mochte es mit ihm für eine Bewandtnis haben? Ich kannte ihn nicht und kannte ihn doch. Und wie ich so meinen Gedanken nachhing, hörte ich, daß die Haustür leise geöffnet und wieder geschlossen wurde. Auf dem Flur erklangen Schritte, jemand tastete an der Zimmertür herum, erfaßte die Klinke und drückte sie nieder. Die Tür ging auf. Ich ließ die Hände sinken. Da stand der fremde Junge vor mir. Ich saß dort, wo Sie jetzt sitzen, und hier, in der schummerigen Dunkelheit hinter der Staffelei, stand der Junge. Wenn die Staffelei auch das Kerzenlicht verdeckte, so war es da doch nicht völlig dunkel, sondern nur so schummerig. Ich konnte das blasse Oval des Gesichtes noch eben erkennen. Und in dem hellen Haar fing sich noch so viel Dämmerung, daß sich so etwas wie ein schwacher Schein, ein ganz schwacher Schein über dem Kopf zeigte.
›Guten Abend‹, sagte eine langsame Kinderstimme aus der Dunkelheit heraus. ›Ich möchte das wohl kaufen, das mit den Engeln da.‹
›Nein, Junge‹, entgegnete ich, ›das ist nicht zu verkaufen.‹
›Aber du hast es doch in dein Schaufenster gestellt.‹
Erst jetzt wurde mir bewußt, daß ein langgezogenes, dünnes, gläsernes Singen jedes seiner Worte begleitete, ganz hoch. Nun schwieg es. Ich wartete eine Weile, aber es blieb still. Da sagte ich zu dem Jungen, daß ich den Kindern damit eine Freude habe machen wollen.

›Warum wolltest du ihnen denn eine Freude machen?‹ Wieder ertönte, während er sprach, das hohe Singen. Es kam von dorther, wo die Engel um die Weihnachtspyramide schwebten. Sie bewegten sich nur noch zögernd, weil die oberen Kerzen schon erloschen waren. Ich fragte mich, ob es denn sein könne, daß die Engel so geheimnisvoll sängen.
›Warum wolltest du ihnen denn eine Freude machen?‹ fragte der Junge noch einmal.
›Ich sehe es so gern, wenn Kinder frohe Augen haben.‹
›Warum denn?‹
›Ja, Junge, warum? Das ist gar nicht so leicht zu erklären. Siehst du, ich habe den ganzen Abend hier gesessen und euch beobachtet, wie ihr eure Freude an den Weihnachtssachen hattet. Und da war mir, als gäbe es keinen Jammer und keine Sünde mehr auf der Welt. Unsereins kann sich ja nicht mehr so freuen, wie ein Kind sich freut. Wir haben ja viel zuviel Schuld auf uns geladen. Und nun gehen wir umher und fühlen eine unbestimmte Sehnsucht nach ... nach ... Wenn wir auch arbeiten und reden und lachen und uns um nichts zu kümmern scheinen, im Grunde haben wir doch Sehnsucht. Oft haben wir Sehnsucht. Immer. Eigentlich immer.‹
›Wonach habt ihr denn Sehnsucht?‹
›Nach der Unschuld, glaube ich. Daß wir unschuldig wären, daß es keine Sünde gäbe.‹
›Was ist denn Sünde?‹
›Wenn man so allein ist.‹
›Alleinsein ist doch keine Sünde.‹
›Wenn man ... Ach, Junge, wenn man ohne Gott ist.‹
›Hast du denn Sehnsucht nach Gott?‹
›Ja, Junge.‹
Da entstand eine Stille. Und dann begannen die Engel wieder

zu singen. Und der Junge sagte: ›Du, Er sehnt sich auch nach dir.‹
Ich antwortete, das könne niemand wissen.
›Doch‹, sagte der Junge, ›ich weiß es. Glaube mir.‹
›Wer bist du denn?‹
›Alle Sehnsucht des Menschen nach Gott‹, fuhr der Junge fort, während die Engel abermals ihre Melodie anstimmten, die wie ein silbernes Gespinst um die Worte schimmerte, ›alle Sehnsucht des Menschen nach Gott ist in Wahrheit die Sehnsucht Gottes nach dem Menschen.‹
›Die Sehnsucht Gottes nach dem Menschen‹, sagte ich. ›Wer bist du denn?‹
Die Engel begannen wieder, aber der Junge schwieg. Ihr Lied war wie der Gesang einer Glasorgel. Es wurde lauter und lauter. Jetzt klang es schon wie eine richtige Orgel. Der Junge schwieg noch immer. Und als der Orgelgesang an Fülle und Brausen gewann und mit dröhnender Gewalt über mich hinflutete, kam das blasse Gesicht langsam aus der Dunkelheit auf mich zu und wurde größer und durchsichtiger, die Augen ganz groß und unendlich traurig. Es waren keine Kinderaugen mehr. Ich sah, daß sie alles wußten, auch das Letzte, auch die letzte Verlassenheit von Gott. Aber dahinter war noch etwas, ein Allerletztes, etwas Unbegreifliches, hinter dem Wissen. Warum ich es tat, kann ich nicht sagen, ich mußte es einfach tun, ich neigte mich vor und gab mich willenlos in das Geheimnis der Augen hinein. Es war, als fiele ich in einen bodenlosen Abgrund. Ich fiel und fiel. Und dann verdichtete sich das Leere um mich her, etwas Weiches fing mich auf, ich öffnete die Augen und merkte, daß ich nach wie vor in meinem Sessel saß, die Pfeife in der Hand. Das Zimmer war dunkel, die Kerzen brannten nicht mehr. Nur

unter dem Engelreigen flackerte noch ein Flämmchen. Es schrumpfte aber gerade zusammen und verwandelte sich in ein geisterhaftes Blau. Regungslos hingen die Engel an ihren Fäden. Da erstarb auch das Blau. Eine Weile sah ich gar nichts mehr. Dann zeichnete sich allmählich das Viereck des Fensters als schwache Dämmerung in der Nacht ab. Ich saß in meinem Sessel und rührte mich nicht. Und so blieb ich sitzen, bis Sie an die Tür klopften. – Was halten Sie nun davon? Ich meine . . . Dabei bin ich alles andere als ein frommer Mensch. Denken Sie bitte nichts Verkehrtes von mir! Aber was soll man nun davon halten? Ich meine, was hat es zu bedeuten?«

Während der letzten Worte schiebt er seine geöffnete Hand mit einer fragenden Bewegung auf den Tisch. Am liebsten würde Andreas sie ergreifen. Er macht auch schon Anstalten dazu, läßt es dann aber doch sein. Ihre Augen begegnen sich. Buko blinzelt.

»Ach, Buko«, sagt Andreas schließlich, »warum weichen Sie sich denn aus? Sie brauchen doch keine Angst vor sich selbst zu haben.«

»Vor mir selbst? Was wollen Sie damit sagen?«

»Ich will damit sagen, daß Sie es waren, der hereinkam, Sie selbst, Ihr . . . Ach, Sie wissen es schon.«

Er schüttelt den Kopf.

Andreas nickt ihm zu.

Aber Buko sitzt nur da und schüttelt den Kopf.

Zwei grüne Eintrittskarten schwingend, betritt Andreas das Schlafzimmer. »Nun wird doch etwas daraus.«
Isabel steht auf der Trittleiter und befestigt den rostroten sternbetupften Vorhang mit Stecknadeln oben an der Zugvorrichtung.
»Mhm m mhm?« fragt sie durch die Nase, denn sie hat ein halbes Dutzend Nadeln zwischen den Lippen. Aber Andreas versteht trotzdem, daß sie wissen möchte, woraus etwas würde.
»Aus dem Kammerkonzert mit alter französischer Musik übermorgen im Blauen Saal.«
»Muii!« Mit einem hohen Laut des Entzückens springt sie von der Leiter herunter und fällt ihm um den Hals. Wenn er seinen Kopf nicht blitzschnell weggewandt hätte, wäre er von einem Nadelkuß durchlöchert worden. Sie macht eine entschuldigende Handbewegung und nimmt die Nadeln aus dem Munde. »Wie hast du denn noch Karten gekriegt? Das Konzert soll doch schon seit acht Tagen ausverkauft sein.«
»Ist es auch. Aber ich dachte: Versuch's doch noch einmal. Und richtig, wie ich an der Vorverkaufskasse schüchtern frage, werden gerade drei Karten zurückgebracht. Da habe ich natürlich zugegriffen und zwei genommen.«
»Herrlich, herrlich. Du, ich freue mich ganz schrecklich.«
»Ich auch. Und hoffentlich kommt nun nichts mehr dazwischen!«
Isabel klettert wieder die Leiter hinauf. »Nein, es kommt nichts mehr dazwischen. Was soll denn dazwischenkommen?«
»Irgend etwas.«

»Was denn zum Beispiel?«
»Na, wir könnten uns zum Beispiel zanken.«
»Warum sollten wir uns denn gerade jetzt zanken?«
»Das weiß ich nicht. Aber es ist doch nicht unmöglich. Es soll immerhin schon einmal vorgekommen sein, daß Eheleute sich gezankt haben.«
»Aber wir doch nicht.«
»Wir auch.«
»Aber doch nicht jetzt.«
»Das kann man nicht wissen.«
»Ich weiß es aber.«
»Na, na!«
»Du brauchst gar nicht ›na, na‹ zu machen. Wir werden uns nicht zanken. Ich weiß es. Und wenn ich es weiß, dann ist es so.«
»Nimm doch Vernunft an, Isabel!«
»Ich? Du!«
»Ich glaube wirklich, daß ich diesmal die Vernunft auf meiner Seite habe. Ich und nicht du.«
Isabel setzt sich auf den obersten Tritt der Leiter und legt mit den Fingerspitzen ihren Rock über den Knien zurecht.
»Willst du mir einmal einen einzigen vernünftigen Grund angeben, weshalb wir uns zanken sollten?«
»Fürs Zanken gibt es immer nur unvernünftige Gründe. Aber deshalb steht doch keineswegs fest, daß wir uns morgen oder übermorgen nicht zanken werden.«
»Doch, doch, doch, das steht fest.«
Andreas setzt seinen Fuß auf die erste Leiterstufe: »Bist du dir eigentlich klar darüber, daß du damit so etwas wie eine Gotteslästerung aussprichst?«
»Nun hab dich doch nicht! Gotteslästerung! Lächerlich!«

»Bitte, wie kannst du behaupten, du wüßtest, was in der Zukunft geschieht.«
»Behaupte ich ja gar nicht. Ich behaupte nur, daß ich weiß, was nicht geschieht. Nämlich, wenn wir es nicht wollen.«
»Als ob das nicht dasselbe wäre. Eins ist so anmaßend wie das andere.«
»Ich kann nicht einsehen . . .«
»Ich kann auch nicht...«
»Dürfte ich, bitte, einmal ausreden?«
»Ich kann auch nicht einsehen, warum ich meine Zeit damit verschwenden soll . . .«
»Du willst ja nur, daß du recht behältst. Und darum . . .«
Da schlägt Andreas mit der flachen Hand auf eine Leiterstufe: »Gar nichts will ich, gar nichts! Aber meinst du etwa, es machte mir noch Freude, mit einem so halsstarrigen und anmaßenden Geschöpf ins Konzert zu gehen?«
»Und darum – ganz meinerseits, ganz meinerseits –, und darum legst du es darauf an, einen Streit vom Zaun zu brechen. Nur darum. So.«
»Hier braucht nichts mehr vom Zaun gebrochen zu werden.« Andreas wendet sich zum Gehen. »Es ist bereits soweit.«
»Gott sei Dank!«
In der Tür dreht er sich noch einmal um: »Ich wundere mich nur, daß du dich nicht schämst, daß du dich nicht wenigstens ein ganz kleines bißchen schämst.«
Aber Isabel kann nur lachen über so viel Hirnverbranntheit. Er sei doch wohl der nächste, der sich schämen müsse, er und kein anderer.
Andreas macht ein paar Schritte auf sie zu: »Denk nur nicht, morgen sähe die Sache schon anders aus, wie du das immer tust! Diesmal nicht. Und damit du auch weißt, woran du bist,

reiße ich die verdammten Dinger hier in tausend Stücke.« Er legt die beiden grünen Karten übereinander und setzt mit beiden Händen zum Durchreißen an, hält aber im letzten Augenblick ein, hebt die eine Karte von der anderen ab und vergleicht sie miteinander. Dabei murmelt er verblüfft vor sich hin, das sei ja noch schöner. Dann richtet er seinen Blick auf Isabel, als erwarte er eine Antwort von ihr.

»Willst du vielleicht so gütig sein«, sagt sie von ihrer Leiter herunter, »mir zu verraten, was noch schöner ist?«

»Die Plätze liegen ja nicht nebeneinander. Sie hat mir ausgerechnet die beiden nicht nebeneinanderliegenden Plätze von den dreien gegeben, die törichte Person an der Vorverkaufskasse, Num-

mer fünfundfünfzig und siebenundfünfzig.«
»Wenn es weiter nichts ist. Der Besitzer von Nummer sechsundfünfzig wird schon mit sich reden lassen.«
»Wird schon mit sich reden lassen? Ich denke, du willst nicht hin?«
»Da sieht man's wieder: Ich kann noch so nachgiebig und friedliebend und alles miteinander sein, du bleibst bei deiner Unverträglichkeit. Es ist eben kein Auskommen mit dir, so nicht und so erst recht nicht.«
»Was denn? Was denn?«
»Schön, wir tauschen die Karten also nicht. Ist auch besser so. Ich sitze lieber neben einem fremden Herrn als neben meinem widerlichen Mann.«
»Was den fremden Herrn betrifft«, sagt Andreas, der noch immer mit den beiden Karten in der Hand dasteht, »so könnte es ja auch eine reizende junge Dame sein. Und das wäre gerade das

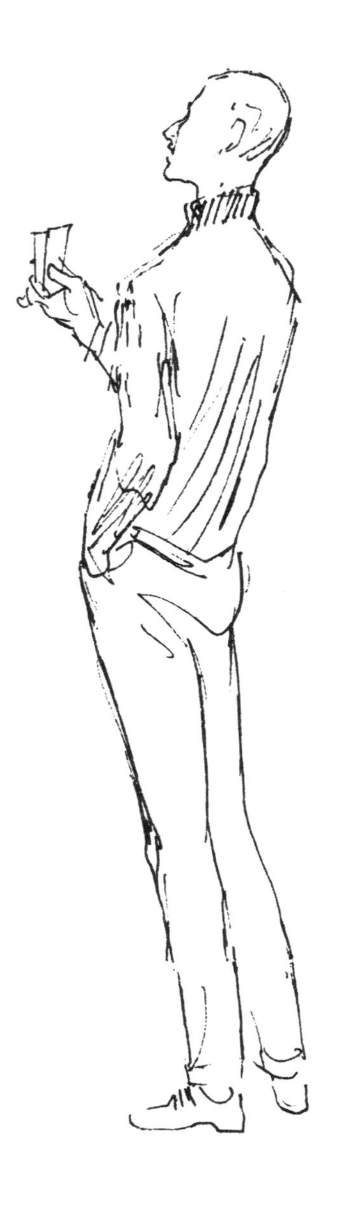

richtige für mich.«
»Lächerlich. Es ist natürlich ein Herr.«
»Und woher willst du das wissen? Woher willst du das um Himmels willen nun wieder wissen?«
»Ich weiß es eben.«
»Nichts weißt du! Menschenskind, du kannst es doch gar nicht wissen! Mach mich doch nicht wahnsinnig!«
Mit dem Blick der Unschuld, die in dieser schlechten Welt nun einmal zum Leiden verdammt ist, sieht Isabel zur Decke empor: »Nun fängt er wahrhaftig schon wieder an.«
»Ja!« brüllt Andreas und reißt die Karten mittendurch. Dann bewegt er seinen Kopf mit verzweifelten Rucken dahin und dorthin, wirft die Karten gegen den Frisierspiegel und stürzt aus dem Zimmer.
Nachdem Isabel etwas Atem durch ihre Lippen geblasen und sich am linken Ohrläppchen gezupft hat, steigt sie von der Leiter herunter, hebt die vier Kartenhälften auf, legt die zusammengehörenden an den Rißstellen ein wenig übereinander und steckt sie mit zwei Nadeln zusammen.
Da öffnet Andreas die Tür noch einmal. »Wo sind die Karten?«
»Karten?« Sie verbirgt die rechte Hand hinter ihrem Rücken. »Was für Karten? Ach so! Die habe ich an mich genommen, weil du sie ja offensichtlich nicht mehr haben wolltest. Ich werde mir doch den fremden Herrn nicht entgehen lassen.«
»Und ich die reizende junge Dame ebensowenig. Mithin ersuche ich dich, mir meine Karte auszuhändigen.«
»Hier.«
»Autsch! Was für ein Unsinn mit den Nadeln! Man nimmt einen Klebstreifen dazu.«

»Würde es dich sehr belasten, wenn du meine auch wieder heil machtest?«
»Gib her!«
»Du gehst hin, ich gehe hin, wir gehen beide hin. Ich habe es ja gleich gesagt. Wozu nur die ganze Ereiferung?«
Diesmal ist es Andreas, der seine Augen zur Decke emporhebt.

Er gibt ein Rätsel auf

»Ich weiß ein neues Rätsel«, sagt Andreas und reibt sich die Hände, »eins aus dem Leben:

Loch an Loch
und hält doch.
Was ist das?«

Christoph ruft, das stünde in seinem Lesebuch: eine Kette.
»Loch an Loch und hält doch.«
»Nein, ganz etwas anderes.«
»Ein Einkaufsnetz«, meint Viola.
»Auch nicht.« Andreas sieht Isabel an.
»Wenn du so ein Gesicht machst«, sagt sie, »dann ist es sicher irgendwas mit mir.«
»Richtig.«
»Und was?«
»Dein Küchenhandtuch.«

Es regnet und schneit, es schneit und regnet. Die Johannisbeersträucher, die Obstbäume, die Birken, die Ginsterbüsche, die Föhren triefen vor Nässe. Gegen Abend wird es etwas kühler. Auf dem Rasen bleiben die Flocken liegen. An anderen Stellen zergehen sie zu grauem Matsch.
Schade, denkt Andreas. Es wäre ganz schön, wenn es richtig Winter würde. Dann wendet er sich wieder seiner Arbeit zu. Morgen kommt Isabel zurück, die ihre Schwester besucht hat. Da will er heute noch tüchtig etwas vor sich bringen.
Nach zwei Stunden beginnt es so heftig gegen die Scheiben zu prasseln, daß er vom Schreibtisch aufstehen und noch einmal hinausblicken muß.
Die Welt ist weiß geworden. Der Wind, der auf Nordwest gedreht hat, treibt die Flocken in immer neuen Wogen schräg durch den Garten. Wo sie auftreffen, bleiben sie hängen. Das Thermometer zeigt null Grad. Ein tolles Gestöber. Solche Schneemassen wirbeln hierzulande nicht oft in der Luft herum. Die Scheiben sind behaucht.
Wie Andreas nach Mitternacht den Bleistift hinlegt, wundert er sich über die Stille vor dem Fenster. Er schiebt den Vorhang zur Seite. Draußen liegt eine tief verschneite Welt in ungewisser Dämmerung. Das Gestöber hat aufgehört, der Wind scheint eingeschlafen zu sein. Hoch oben ziehen helle Wolkenschleier langsam an der Scheibe des Dreiviertelmondes vorüber. Wenn das bleiche Licht für Augenblicke ungetrübt herunterflutet, geschieht etwas Merkwürdiges. Im Geglitzer der schneeverhüllten Apfelbaumzweige entsteht da und dort ein starkes Gefunkel. Andreas hat so etwas noch nie gesehen. Es ist, als hätten sich an einigen Stellen beson-

ders große Kristalle niedergelassen, die nun bläuliche und silberne Strahlen aussenden. Sie sprühen auf, vergehen und sprühen von neuem auf. Und von den Föhren, die über und über verweht sind, schießt das gleiche Sprühen herüber. Aber immer nur vereinzelt. Ein zauberisches Schauspiel!
Unten an den Scheiben haben sich Eisbogen gebildet. Es muß kalt geworden sein. Andreas wirft einen Blick auf das Thermometer. O ja, sieben, fast acht Grad unter Null.
Dann könnte man doch, denkt er, einmal versuchen, auf Skiern in die unwirkliche Welt hineinzugleiten. Der Schnee ist zwar noch reichlich locker, aber dafür hat er diese wundervolle Unberührtheit. Etwas Schöneres gibt es doch nicht, als in so einer Nacht unterwegs zu sein.
Nach einer halben Stunde schiebt er vor der Gartentür das rechte Knie vor, läßt das linke am rechten vorbeigehen und taucht, einen Ski-Schritt weich in den andern überleitend, in das glimmernde Halbdunkel unter den Föhren. Nachdem er den Bauernwald durchquert hat, zieht er über eine Weide, über einen Acker, über ein Heidestück langsam bergauf, bis er auf dem Gipfel des Hügels steht.
Unabsehbar breitet sich zu seinen Füßen die mondbeschienene Niederung aus, durch die sich der Moorfluß windet. Die Nacht ist so hell, daß er seine Biegungen, die teils durch das offene dunkelgraue Wasser, teils durch die Erlen und Weiden an den Ufern bezeichnet werden, weithin verfolgen kann. Jenseits der Ebene deuten sich am Himmelsrand die düsteren Wälder der Geest an.
Der Wolkenflor ist noch dünner geworden, ein hauchzart in die Weite und schräg von oben nach unten gezogenes Gespinst, das unsichtbar bleiben würde, wenn sich das Mondlicht nicht in violetten und lila Kreisen an ihm bräche

oder es mit glimmenden Silberfäden durchwirkte. Um jeden der großen Sterne schimmert gleichfalls ein violetter Hof. Nur im Norden ist der Himmel frei. Dort hebt sich der ruhige Nebelglanz der Milchstraße deutlich von der blauen Schwärze ab. Der blinkende Stern dicht überm Horizont wird die Wega sein, und der daneben Deneb.

Eine geisterhafte Stille steht über der Erde. Selbst das dunkle Summen der Ferne, das sich sonst doch immer vernehmen läßt, besonders nachts, ist verstummt. Der Schnee hat alles zum Schweigen gebracht.

Es kommt Andreas so vor, als blicke er in die Tiefen, in das Weben und Leuchten einer neuen Schöpfung. Dies alles war vor wenigen Stunden noch nicht, dieser lichtverschleierte Himmelsraum nicht, und diese ruhende, glitzernde, reine Landschaft nicht. So nicht. Kein Menschenauge hat es zuvor erblickt, kein Fuß hat es betreten. Gleich wird er angehaltenen Atems in die Ebene hinabgleiten. Die Skier werden am Hügelhang, der in drei Stufen abfällt, leise zu singen beginnen. Es wird mehr ein Schweben als ein Gleiten sein, vorbei an den violetten Kreisen, vorbei an den blinkenden Sternen, die über ihm und neben ihm in der Nacht hängen, vorbei an dem wechselnden Gefunkel, das von den großen Schneekristallen ausgeht, die Schwerelosigkeit wird ihn aufnehmen, das Hinsinken, der Traum. Er wird nichts mehr von gestern wissen und nichts von morgen. Es wird wie ein Vorgeschmack der Ewigkeit sein.

Aber noch steht er auf der Kuppe des Hügels, richtet seine Augen in die Ferne und hat seine Gedanken. Ist das dieselbe Erde, denkt er, auf der so viel geweint wird in den Tagen und Nächten, auf der Krankheit und Tod, Einsamkeit und Verzweiflung ihre Herrschaft ausüben, auf der die Menschen

einander alles Leid antun, das sie irgend ersinnen können, auf der sich die am tiefsten Versklavten, die ihren Gelüsten, ihren Zigaretten, ihren Rundfunkapparaten, ihren Zeitungen, ihren Lichtspielhäusern, ihren Kleidern, ihrer Arbeit, ihren Berauschungen am tiefsten Versklavten, am lautesten ihrer

Freiheit rühmen, auf der die Unseligen, die jeder Frage und jedem Gedanken ausweichen, die tanzend und grimassierend im Nichts versinken, von Menschenwürde reden, auf der es an keinem Tage Frieden gibt, nicht zwischen den Völkern und nicht zwischen den Halmen auf der Wiese, auf der niemand und nichts ohne Schuld zu bleiben vermag, ist es wirklich dieselbe Menschen-Erde? Sie ist es. Ach ja, sie ist es. Auch in dieser Nacht wird wie in allen andern geseufzt, gelitten, betrogen, geraubt und getötet, auch diese Nacht hat keinen Frieden, auch in dieser Nacht ist die Welt den vernichtenden Mächten preisgegeben.

Er setzt die Stöcke rechts und links in den Schnee, um sich abzustoßen und die schwebende Wanderung ins Weglose und Unbetretene zu beginnen. Aber er kann es nicht, noch nicht, er läßt die Stöcke wieder los und beugt sich vornüber. Seine Hände, die in Fäustlingen stecken, schieben sich zwischen seine Knie. Er faßt mit der rechten über die geballte linke, preßt sie gegeneinander und murmelt etwas vor sich hin. Dann richtet er sich auf und gleitet, nachdem sein Blick sich noch einmal der bestirnten Ferne zugewandt hat, langsam den Hang hinunter.

Nachwort

Manfred Hausmann wurde am 10. September 1898 in Kassel geboren; der Vater war Fabrikant von Mikroskopen. Er besuchte das Gymnasium in Göttingen, zog als Achtzehnjähriger in den Krieg und kam 1918 gasvergiftet und mit durchschossenem Fuß zurück. Nun arbeitete er tagsüber in einer Fabrik und studierte abends an der Göttinger Universität; dann ging er nach München und promovierte 1922 zum Dr. phil. Mit der gewiß vom Elternhaus erwarteten »Ergreifung eines ernsthaften Berufs« wurde es jedoch nicht viel: Hausmann war nacheinander Anwärter für eine Lehrberechtigung als Privatdozent bei Gundolf in Heidelberg, Dramaturg der Festspiele auf dem Hohentwiel, kaufmännischer Angestellter in der väterlichen Fabrik und dann in einer Bremer Übersee-Expedition, endlich Journalist. Sein erster Prosaband erschien 1924. Seit 1927 lebt er als freier Schriftsteller. Zunächst siedelte er sich in Worpswede an, auf dem Weyersberg, wo die Erde »nach Brombeeren, Ginster, Heide, Föhren und Birken« riecht; später zog er an die Unterweser, nach Rönnebeck bei Bremen. Er ist Mitglied mehrerer Akademien und Träger angesehener Literaturpreise.
Hausmann darf als eine der interessantesten Gestalten der deutschen Literatur unseres Jahrhunderts gelten: als ein Mann, der bereit war, seine anfänglichen Ansichten einer gründlichen Revision zu unterziehen, der den Mut hatte zum kompromißlosen »Gerichtstaghalten mit sich selbst«, wie Ibsen das nannte. Er begann als »panisch-weltfröhlich-pessimistischer Romantiker«, als Nihilist geradezu, und hat sich gewandelt zum »protestantischen Gottsucher, bestärkt durch Kierkegaard und Karl Barth« (Lennartz). 1929 läßt er seinen Lampioon ausrufen: »Mann Gottes? sage ich. Ich bin kein Mann Gottes, ich pfeife auf deinen Gott, ...« In einer auto-

biographischen Skizze von 1950 dagegen steht: »... ich glaube, daß dann von mir nichts übrigbleibt als ein hilfloses Wesen, das einsam, schuldbewußt und gnadebedürftig vor den richtenden Augen des Ewigen steht, der es erschaffen hat«. In der kleinen Betrachtung »Kinderfragen« äußert er nun: »Gottlosigkeit ist Feigheit«. Die Wandlung Hausmanns beginnt in den dreißiger Jahren und muß als abgeschlossen betrachtet werden spätestens zur Zeit der Niederschrift des »Worpsweder Hirtenspiels«, das 1946 erschien. Hausmann bekannte, er komme geistig von Eichendorff, Storm, Hamsun und Jens Peter Jacobsen her; das gilt vor allem für die erste Phase seines Schaffens. »Merkwürdig ist die starke Wirkung Knut Hamsuns« (Fechter): die Landstreichergeschichten um Lampioon haben geradezu die Thematik von Hamsuns Wanderer-Trilogie, wenn Hausmann auch eigenständige Werke gelingen; (»Lampioon küßt Mädchen und kleine Birken« und »Salut gen Himmel« erschienen 1928 und 1929). Immer wieder hat die niederdeutsche Landschaft in seinen Werken, vor allem auch in den Gedichten und bis hinein in die Dramen, ihren Niederschlag gefunden; er ist *ihr* Dichter. Er war es schon in der ersten Prosasammlung »Frühlingsfeier« (1924); und 1940 beispielsweise erschien die »Betrachtung« über Worpswede mit dem bezeichnenden Titel »Geheimnis einer Landschaft«. Von seinen Romanen mögen noch genannt werden: die schließlich wehmütige Geschichte um den fünfzehnjährigen »Abel mit der Mundharmonika« (1932), »Abschied vom Traum der Jugend« (1937) und »Liebende leben von der Vergebung« (1953). Seine bekanntesten dramatischen Werke sind: »Lilofee« (1937), wo die Sage vom Wassermann aufgegriffen wird, das »Worpsweder Hirtenspiel« (1946), das

bedeutende Legendenspiel »Der Fischbecker Wandteppich« (1955), das Schauspiel »Die Zauberin von Buxtehude« (1959). Seine Lyrik erschien in den Bänden »Die Jahreszeiten« (1924), »Jahre des Lebens« (1932), »Alte Musik« (1941), »Füreinander« (1946) und »Irrsal der Liebe« (1960). Aus den letzten Jahren von Hausmanns bisherigem Schaffen sollen besonders erwähnt werden die Sammelbände »Einer muß wachen« (1950) und »Die Entscheidung« (1955): Bücher, die Betrachtungen, Reden und Gedanken enthalten und sich, neben der großen thematischen Vielfalt, auszeichnen durch die allgegenwärtige Mahnung »im christlichen Sinne zu gläubiger und tätiger Liebe«.
Die im vorliegenden Band erschienenen fröhlich-besinnlichen Geschichten um Martin, Isabel und Andreas nennt der Dichter in einem Brief allzu bescheiden »Randprodukte meiner Muse«. Gerade sie aber haben unzählige begeisterte Freunde gefunden – und werden weitere noch finden!

Herbert Reinoß